故宫经典 CLASSICS OF THE FORBIDDEN CITY
IMPERIAL ARMAMENTS OF QING DYNASTY

清宫武备图典

故宫博物院编
COMPILED BY THE PALACE MUSEUM

故宫出版社
THE FORBIDDEN CITY PUBLISHING HOUSE

图书在版编目（CIP）数据

清宫武备图典／故宫博物院编；— 北京：故宫出版社，
2014.8（2021.7 重印）
（故宫经典）
ISBN 978-7-5134-0602-4

Ⅰ．①清… Ⅱ．①故… Ⅲ．①兵器（考古）–中国–清
代–图集 Ⅳ．① K875.82
中国版本图书馆 CIP 数据核字（2014）第 106568 号

编辑出版委员会

主　任　单霁翔

副主任　李　季　　王亚民

委　员　纪天斌　　陈丽华　　宋纪蓉　　冯乃恩　　胡建中

　　　　　闫宏斌　　任万平　　杨长青　　娄　玮　　宋玲平

　　　　　赵国英　　赵　杨　　傅红展　　苗建民　　石志敏

　　　　　余　辉　　张　荣　　章宏伟　　尚国华

故宫经典

清宫武备图典

故宫博物院编
主　　编：胡建中
图片资料：故宫博物院数字与信息部
出 版 人：王亚民
责任编辑：刘　茵　周利楠
整体设计：王　梓
责任印制：常晓辉　顾从辉
出版发行：故宫出版社
　　　　　地址：北京东城区景山前街4号　邮编：100009
　　　　　电话：010-85007800　010-85007817
　　　　　邮箱：ggcb@culturefc.cn
制版印刷：北京雅昌艺术印刷有限公司
开　　本：889毫米×1194毫米　1/12
印　　张：28.5
版　　次：2014年8月第1版
　　　　　2021年7月第2次印刷
印　　数：3001～5000册
书　　号：ISBN 978-7-5134-0602-4
定　　价：460.00元

经典故宫与《故宫经典》

郑欣淼

故宫文化，从一定意义上说是经典文化。从故宫的地位、作用及其内涵看，故宫文化是以皇帝、皇宫、皇权为核心的帝王文化和皇家文化，或者说是宫廷文化。皇帝是历史的产物。在漫长的中国封建社会里，皇帝是国家的象征，是专制主义中央集权的核心。同样，以皇帝为核心的宫廷是国家的中心。故宫文化不是局部的，也不是地方性的，无疑属于大传统，是上层的、主流的，属于中国传统文化中最为堂皇的部分，但是它又和民间的文化传统有着千丝万缕的关系。

故宫文化具有独特性、丰富性、整体性以及象征性的特点。从物质层面看，故宫只是一座古建筑群，但它不是一般的古建筑，而是皇宫。中国历来讲究器以载道，故宫及其皇家收藏凝聚了传统的特别是辉煌时期的中国文化，是几千年中国的器用典章、国家制度、意识形态、科学技术，以及学术、艺术等积累的结晶，既是中国传统文化精神的物质载体，也成为中国传统文化最有代表性的象征物，就像金字塔之于古埃及、雅典卫城神庙之于希腊一样。因此，从这个意义上说，故宫文化是经典文化。

经典具有权威性。故宫体现了中华文明的精华，它的地位和价值是不可替代的。经典具有不朽性。故宫属于历史遗产，它是中华五千年历史文化的沉淀，蕴含着中华民族生生不已的创造和精神，具有不竭的历史生命。经典具有传统性。传统的本质是主体活动的延承，故宫所代表的中国历史文化与当代中国是一脉相承的，中国传统文化与今天的文化建设是相连的。对于任何一个民族、一个国家来说，经典文化永远都是其生命的依托、精神的支撑和创新的源泉，都是其得以存续和赓延的筋络与血脉。

对于经典故宫的诠释与宣传，有着多种的形式。对故宫进行形象的数字化宣传，拍摄类似《故宫》纪录片等影像作品，这是大众传媒的努力；而以精美的图书展现故宫的内蕴，则是许多出版社的追求。

多年来，故宫出版社出版了不少好的图书。同时，国内外其他出版社也出版了许多故宫博物院编写的好书。这些图书经过十余年、甚至二十年的沉淀，在读者心目中树立了"故宫经典"的印象，成为品牌性图书。它们的影响并没有随着时间推移变得模糊起来，而是历久弥新，成为读者心中的故宫经典图书。

于是，现在就有了故宫出版社的《故宫经典》丛书。《国宝》、《紫禁城宫殿》、《清代宫廷生活》、《紫禁城宫殿建筑装饰——内檐装修图典》、《清代宫廷包装艺术》等享誉已久的图书，又以新的面目展示给读者。而且，故宫博物院正在出版和将要出版一系列经典图书。随着这些图书的编辑出版，将更加有助于读者对故宫的了解和对中国传统文化的认识。

《故宫经典》丛书的策划，无疑是个好的创意和思路。我希望这套丛书不断出下去，而且越出越好。经典故宫藉《故宫经典》使其丰厚蕴涵得到不断发掘，《故宫经典》则赖经典故宫而声名更为广远。

目 录

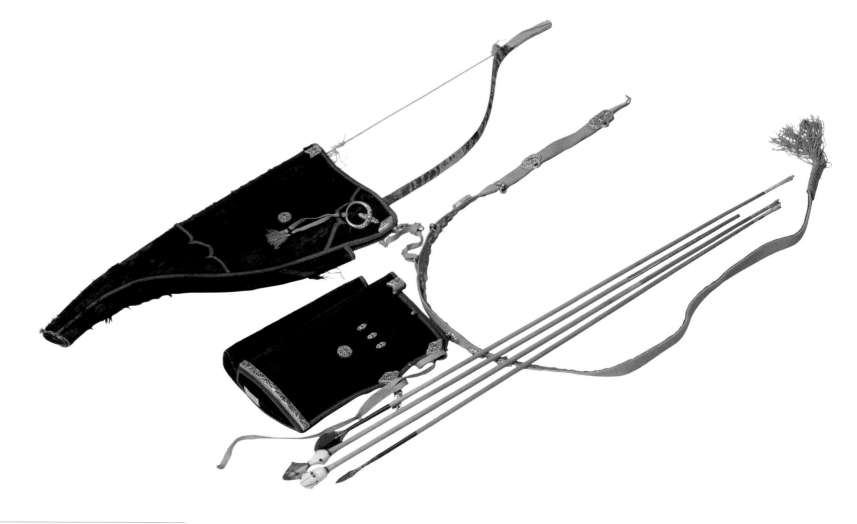

前　言

胡建中

清太祖努尔哈赤率"十三遗甲"起兵于白山黑水，倡导尚武精神，顺应历史潮流，统一诸部落，戎马一生，威兵大振。清太宗皇太极承父业东西征战，建都盛京，雄踞东北，称霸一方。顺治皇帝定鼎北京，挥师南下，最后一统华夏。康熙、雍正、乾隆三朝平息战乱，大阅秋狝，进一步充实、完善了武备制度。康乾盛世社会经济的发展，科学技术的提高，为清代兵器的全面发展提供了良好的物质基础和先决条件。这一时期的兵器，无论从数量上、质量上，还是性能上都达到了前所未有的高度。

由于历史、政治、军事、民族等诸多方面的原因和需要，清代皇宫大内制造、收藏了大批兵器，形成颇具特色的皇家兵器系列，是当时全国武器装备的一个缩影。它们种类繁多、工艺精湛，集当时全国冷兵器与火器之精华，集传统工艺和新型技术于一身，反映出强烈的时代特征和历史风范。

一、兵器的种类及分布

（一）御制、御用品

清内务府造办处遵照皇帝旨意制造的御制品或御用品，是有清一代兵器中最重要的组成部分。大到青铜火炮，小到铁质箭镞，无一不是佳作，无一不是精品。这里面也可以分成两个部分：一部分是历朝皇帝在军事战阵和阅兵仪式、行围狩猎中亲自使用过的兵刃、甲胄、鞍鞯诸物，彰显其卓著武功；另一部分则纯粹是典制、礼仪、宗教的陈设之物，反映时代的风尚、习俗和皇帝个人的志向爱好以及治国、治家理念。如盛装在专用箱匣内带有天、地、人编号的刀剑，供奉在紫禁城梵宗楼佛殿内的乾隆御用兵器等。这类武器基本从未用过，甚至连存贮位置都从没变过。

御制、御用品是清代兵器精华所在，有专门的机构负责管理和维护，并精心配置黄纸签、鹿皮签、木牌或象牙牌，墨书或铭刻涂金满、蒙、汉、藏、回等多民族文字，注明某某皇帝御用，成为法物、圣品，以供后世"恒敬仰"。

（二）禁军官兵、仪仗队用品

皇家卫队——护军营、前锋营、骁骑营、虎枪营等官兵，平时操兵警卫，遇皇帝出巡、省方则扈卫左右。护军营是紫禁城内的主要防护和守卫部队。咸丰十一年（1861年）成立的神机营，也于禁城内"协同巡缉"。另外，禁城内各门多设有"栅栏"、"堆拨"（类似哨所或哨位）及"班房"，其兵刃由司钥章京和值班章京统一管理，各堆拨栅栏值班护军分管，按期更换，若有锈蚀、损坏，随时移交武备院缮治。

清代仪仗用品因使用者身份地位的不同，使用场所不同，规格亦各不相同。皇帝的仪仗叫"卤簿"，又分大驾卤簿、法驾卤簿、銮驾卤簿、骑驾卤簿等。皇后、皇太后、太皇太后的叫"仪驾"，皇贵妃的叫"仪仗"，妃、嫔的叫"彩仗"，固伦公主、和硕公主的叫"舆卫"。这些仪仗中都有兵器，引仗、御仗、吾仗、立瓜、卧瓜、星、钺等是由古代兵器发展演变而来，全部为木质髹漆贴金饰，位列仪仗队伍的前面，完全是一种摆设，无任何实际意义。仪仗中的殳、戟、豹尾枪、弓矢、仪刀等为铁质兵器，扈卫在主人前后，虽然也不在清军武器装备序列，但遇到紧急情况也能搏击格杀、抵挡一阵。仪仗兵器随同其他各种旗帜、幡幢、伞扇等仪仗用品一起都由大内专门机构——銮仪卫（溥仪时避"仪"之讳，改为銮舆卫）统一保管，用时给发。

（三）宗室封爵兵器

清代定制，宗室爵位分为：亲王、世子（亲王嫡子）、郡王、长子（郡王嫡子）、贝勒、贝子、镇国公、辅国公、镇国将军、辅国将军、奉国将军、奉恩将军等，宗室王公应配盔甲、腰刀和撒袋（即鞬鞑）基本上人手一副，而弓箭数额的等级明显拉开，弓多则七张，少则两张。

世爵及文武百官，甲胄、撒袋、腰刀都是一副，弓两张，箭数视其品秩大小而等差对待，以50支为限递减。

（四）八旗、各省官兵兵器

八旗，分驻防和京师两大部分，内又有满洲、蒙古、汉军之别。其常备盔甲、腰刀与武职差不多，所不同的也是箭支。

每个人所拥有兵器的数量同顶戴、补服和俸银、禄米一样，标识着地位、爵位和官位的大小高低。这就是所谓的"制度有定式，给发有定数"。

（五）火器

清代火器，主要是炮和枪。康熙三十年（1691年），清圣祖特设火器营，制备枪炮。雍正帝时进一步认识到"子母炮，军中最紧要利器"，于是在原来每旗6位子母炮的基础上，再增加4位，确立了每旗配备子母炮10位的数额标准。乾隆年间京师汉军八旗拥有铜铁火炮数量达到600位左右。至嘉庆时仍多达558位。另外，北京内城九座门楼，外城七座门楼，各建有防御性瓮城，共布防和储备各种火炮高达1937位，随时补充各营以备军需。

清代火器的另一大类就是鸟枪，典制文献中有时省称"枪"。普通士兵装备的全部是最低等的火绳枪，而皇家使用的在当时可以说是现代化装备了，但落后的也并未淘汰。京师八旗除火炮外，八旗汉军每人鸟枪一杆，驻防八旗混合编营，其汉军皆持鸟枪。康熙设立的火器营，总率八旗鸟枪军参领、护军校、骁骑校等，统辖鸟枪护军、鸟枪骁骑和炮骁骑，成立之初总计拥有鸟枪5230杆，也算是装备精良。

二、清代兵器的制造

满族善骑射、惯征战，早在清太祖努尔哈赤时期，兵器生产就已颇具规模，并初步形成了自己的造兵制度。皇太极时开始发展火器，设立专门机构，研制火炮。历经顺、康、雍、乾四朝，逐步建立起一套较完整、较独特的兵工生产体系，按生产方式大致分为：官造（官给、官银制备、在官器械），自造（自制），饷造三大部分。

（一）官造器械

清沿明制，造兵机构分中央和地方两级。康熙时，中央造兵机构进一步规范化、系统化，主要有养心殿造办处和武备院，所制造兵器称"御制"和"院制"；工部所造兵器称"部制"；八旗铁匠局所制之兵称"局制"。地方上由各省督抚按不同需要，报请兵部定式、工部核销，待御准后，或命官监造，或由兵部委官、就地设厂制造。

1. 养心殿造办处

养心殿，康熙年间曾经作为宫中造办处的作坊，专门制作宫廷御用物品，名为"养心殿造办处"。康熙四十七年（1708年），所有作坊和匠役全部迁出，养心殿失去了生产和制造的使用功能。自雍正帝始，养心殿成为历代皇帝寝宫和理政之所。而造办处虽异地却不更名，始终冠以"养心殿"，充分突出它的重要地位和绝对权威。

造办处的主要任务是"成造内廷交办什件"。武器方面如弓矢、刀剑、甲胄、鸟枪等，其中大部分为皇家使用，但对全国战阵之兵亦起标样、指导和推动作用。唯独火炮这一重型武器是为全国而生产，炮厂设在景山，以其威力强大、性能良好、工艺精湛而著称于世。造好的火炮随时调往各地以应战争之需，届时造办处还要酌派人员，携带测量、水平等仪器和优秀炮手及钦天监官员前往审核。事后有些炮位经御准，可以留存本地加强防务，而有些炮位则要如数完好地运回京师，归造办处收储。乾隆、嘉庆年间对全国驻防八旗子母炮进行过两次大规模更换，均由造办处负责，可见养心殿造办处的重要地位及生产能力。

2. 武备院

武备院，初名鞍楼，顺治时一度改为兵仗局，不久更名武备院。下设鞍、甲、毡库，直属工匠近二千人。其中北鞍库专门制造御用物，南鞍库专门制造八旗官用物，甲库掌造甲胄与刀枪，毡库掌造弓和箭。

武备院除生产制造外，主要任务是"掌备器械以供御，官用皆给焉"。首先是为皇帝服务，从卤簿仪仗的陈设兵器、众侍卫及虎枪营兵器，到紫禁城各门卫之兵器、坐更值房和随扈兵器以及圆明园陈兵仗，均由武备院管理，随各处来文咨取给发。其次是为文武官员、八旗和各营武服务，官兵军器如有残缺或不堪使用需修理更换时，移咨该院如式制造、发还。八旗左右两翼及小九处驻防兵丁所用鸟枪俱由武备院发放，禁军健锐营护军一次领取鸟枪达一千多杆。

3. 工部

清初定制，八旗甲兵需用甲胄、军器俱由兵部规定式样、尺寸，移文转行工部造给。其他如鸟枪和火炮用的火绳、火药，京师八旗、巡捕营等及近邻京城之旗营，均给以"部制"；各省旗营、绿营兵器由该处总督、巡抚按兵部额数具题，行文工部核准后成造。

虞衡清吏司，顺治元年设，清代较为重要的造兵机构。虞是山泽，衡是度量衡，自周历汉、魏，均设此职和衙门，明改虞衡司，清沿用其名，但实质内容已发生根本变化，掌管制造、收发各种兵器，核销各地军费、军需和工价银。

军需局，工部为修造八旗官兵应用盔甲、撒袋、腰刀及一切军械而特别设立。乾隆二十三年（1758年），军需局裁汰。

管理火药局，中央总领火药机构。满汉管理大臣均头品大员，其中一人由皇帝选派，掌理制造、储存和发放火药事宜。制造火药的来料、配方、工序、用具、数量、品种等等，全部载入国家典章，不许有丝毫敷衍或差错。北京各旗营以及拱卫京城附近的各要塞关口驻防旗营应用火药，都由管理火药局负责供给。

濯灵厂，顺治初年设置，当时中国最大的火药制造工厂，年产量约在50万斤以上，占清入关之初全国年总产量的一半多。除火药以外，濯灵厂还制造枪炮所用的铅子，数量也很大。此厂光绪时裁撤，只作存储废炮之地。

管理八旗左右翼铁匠局，负责制造火炮、鸟枪、腰刀等物。铁匠特选八旗中不善骑射，不懂满语、蒙语之年力强壮者充任，命令他们永远在这个岗位上工作学习，上级不得派遣别项差役。雍正时鉴于劣者、惰者居多，特安排

每局派员到武备院培训，两年更换一次。外出和留局匠役，负责官员要随时检验，岁终八旗督统将会同武备院官综合查考，分别奖惩。

除上述所及，清代还有几处造兵与贮兵厂家，如八旗炮厂、洪威厂、荡氛厂、火药厂、盔甲厂等。

（二）本身器械

满族人早期遇有围猎和战争，每人各带私人自制兵器出行，这个"旧习"一直保留到后来，尽管有些改动和变化，但基本原则和实质内容依然如故。

1. 自制

清入主中原以后，仍保留着"自备"这种造兵形式。自备的范围主要是京师八旗、驻防八旗（汉军仍官给）和蒙古札萨克。驻防八旗，尤以东三省为最，东三省中又以盛京和吉林为甚。自备兵器所费金额由国家给发，工料银两确定下来之后，由所在旗营官员持文书册表，送工部核准。工部再拟文移送有关衙门，支出银两交给各旗，官兵领取后到军需局或武备院等造兵之地自行备制。持自备兵器的将士，如遇有升官或调往别处的情况，官员兵器听其自便，兵丁军器一律留下，然后由所在旗营头目，查验好坏、利钝程度，酌情定价，转给新补兵士使用，最后再从新补士兵应该领取的钱粮中，陆续扣还给主人。

2. 饷造

饷造，即指自备兵器内有年久损坏，或者到了更换之

期，本人没有力量修制，甘愿从自己的俸饷银内以分期付款的办法，由官办制造给予，所用工价银两，官员于俸银内分4个季度扣除，兵士于钱粮内分12个月扣减。所有这些均编入俸饷册簿，由户部坐扣。

三、清宫兵器的来源

（一）战争中的缴获品

清前期，统治者发动了一系列平息国内叛乱的统一战争和数次对外军事行动，均取得了"辉煌胜利"。国内战争，主要是对准噶尔、大小金川、新疆回部以及台湾等；对外战争，主要是对沙俄、缅甸、安南（今越南）和廓尔喀部落（今尼泊尔）等。乾隆皇帝对战利品给予了妥善保留，其题记、图说、诗词等在紫禁城许多器物上屡屡可见。

（二）全国各地的进贡品

清代有所谓端阳贡、万寿贡和年贡的三大例贡制度。满汉王公、文武大臣和地方官员以及西藏、青海、蒙古、新疆等少数民族上层，为显示忠心和讨好皇帝，搞出许多名目翻新的"贡"，像千秋贡（专为皇后生日进贡）、花贡、茶贡、荔枝贡、灯贡、鸟兽贡等等。因地域的不同和季节的变化，以升迁谢恩、进京问安等理由，官员可随时随地进贡。在林林总总的贡品中，有不少先进、精良且带有浓厚地方特色的武备兵刃。

另外还有"聘礼"，大凡公主下嫁，成婚日额驸要按规定进献一定数量的兵器，皇帝根据喜好程度决定取舍多少。

（三）世界各国进献的礼品

大清国以外与之经常接触的国家，在当时大致可分为两类：

一类是"与国"，即与大清交聘往来的国家，一般指欧洲诸国。如鄂罗斯（或称俄罗斯、罗刹）、英咭唎（英国）、咈兰西（法国）、意达利亚（意大利）、贺兰（荷兰），以及欧州的一些小邦国，如傅而都嘉利亚、昂里哑国等。

一类是"藩属国"，如朝鲜、安南（越南）、南掌（老挝）、缅甸、苏禄（菲律宾苏禄群岛）、暹罗（泰国）、琉球（日本琉球群岛）、廓尔喀（尼泊尔）等。这些藩属国的国王受清政府敕封和保护，向清政府称臣纳贡，贡期根据亲疏远近各有不同。

顺治十七年（1660年）俄罗斯遣使入贡。康熙六年（1667年）荷兰国甲娄吧王油烦吗绥极遣陪臣卑独攀呵闰入贡刀剑八件。康熙八年（1669年）傅而都嘉利亚国贡使玛纳撒尔达聂入贡，进有大批兵器。康熙二十五年（1686年）荷兰国王耀汉连氏甘勃氏遣陪臣宾先吧芝奉表进贡一大批武器，为清代武器的研发、改造、仿制提供了有利条件。

乾隆年间，以马戛尔尼为首的英国使团长途跋涉来到京师，揭开了中英政府第一次国际交往的序幕。马戛尔尼使团所携礼品为数众多，总计600品，其中兵器均为英国上乘者。

《清总管内务府奏销档》记载："（乾隆六十年，1795年）荷兰国贡使呈送中堂等位礼单三件"，其中"阿中堂千里镜一只、洋鸟枪一枝；和中堂千里镜一只、洋鸟枪一枝；福六大人千里镜一只、洋鸟枪一枝"。"洋鸟枪"在当时是比较先进的轻型管型射击火器，千里镜是当时的军事望远镜。可见荷兰贡使很有眼光，拿着好东西专找官大的送。而大清政府往往不以为然，乾隆皇帝针对荷兰使节进献的火枪，以极其轻蔑的口气说："不过外国敬意，不必收留。"

（四）政府购置品

中央政府通过各渠道（清中期以前主要是通过粤海关）向一些国家购置的兵刃，大都是一些新颖、奇特、先进的武器，有的还被改造使之成为自己的东西。

康熙二十四年（1685年），清政府开海禁，行贸易，设立粤海关。乾隆二十二年（1757年）敕令：除广州外，其他口岸一律关闭。直到1840年，近百年间，广州是中国唯一的对外通商口岸，享有专营对外贸易之特权。正因如此，粤海关显得相当重要。许多中央大员和地方最高长官都垂涎粤海关监督一职，因为他可以比别人更易买到洋货、好货，更易博得皇帝喜欢，较之其他官吏更容易晋升。

清晚期兴起洋务运动，从国外大批购买新式枪炮。根据当时文献记载，火炮有德国的"克鹿卜"和美国的"格林"连珠炮。步枪有英国的"亨利马梯呢"、"士乃得"，俄国的"俾尔打呶"，美国的"林明登"，德国的"毛瑟"。

（五）中华民族不可分割的铁证——土尔扈特部进献之兵器

土尔扈特部为厄鲁特蒙古四部（和硕特、准噶尔、杜尔伯特、土尔扈特）之一，初以伊犁为会宗地。乾隆三十六年（1771年），土尔扈特20万部众在其杰出首领渥巴锡的率领下，冲破重重阻挠，付出了13万人众和几百万牲畜的重大牺牲，终于摆脱了沙俄的控制，万里回归阔别多年的祖国。同年六月，渥巴锡率策伯克多尔济、舍楞及子色拉扣肯等大小首领从伊犁赶到承德入觐乾隆，其礼品主要是兵器。

乾隆帝对渥巴锡等进献的兵器相当重视，命令内务府造办处重新加以修理、擦拭，有缺少零件的，加以粘补配齐。两个月后，乾隆帝自阅看、审查，并下旨必须"往好里收什"。

但是土尔扈特部陆续进献的兵器，目前确凿无疑能对上号的为数不多。

据史料记载，现藏渥巴锡腰刀是其祖父阿玉奇在哈萨克西北的洪豁尔铸造的。洪豁尔曾以"产精铁"著称，制造的刀矛等冷兵器多精良锋利。阿玉奇对这把腰刀极为珍视，曾令"子孙世守"。渥巴锡"违背"祖训，将它送给了乾隆皇帝，其意义非同小可，亦深刻表明土部从此归顺、依附中央，是中华民族神圣不可分割的一部分。后来土部民族与满、蒙、回、汉等各族人民一道，为开发、建设和保卫祖国西北边疆做出了卓越贡献。

御制、御用品

古代帝王，不管是精明之主，还是愚庸之君，都与兵器有着不解之缘。精明者，喜武好兵，推陈出新，或挥戈驰骋于对敌作战的沙场，或操兵视阅于习刀练枪的校场；愚庸者，戏武弄兵，因循守旧，或迷恋沉醉于侈奢华贵之中，或玩赏满足于珠光宝气之内。清代帝王更是如此，他们对兵器的重视与否的态度及策略的智愚，一定程度上决定了中国古代兵器最后阶段的发展脉络。

御制弓箭、櫜鞬

清代重武备，武备中又首重弓矢。因此，这类兵器在大内遗存颇丰。

弓的种类，从使用者的身份及用材和装饰、制造工艺上看，大致有三种：一是皇帝用牛角弓，桑木胎干；二是王公大臣用牛角弓，桦木胎干；三是职官兵丁用牛角弓，榆木胎干。弓弦有丝、皮之分，丝弦用于教射，皮弦用于战阵。

皇帝御用弓，胎内表贴以金桃皮或桦树皮拼组而成的云锦或万字图案，弓弦以蚕丝为骨，外用丝线横缠束紧，分三节，节与节之结合部留一小段间隙不缠，以便松弓时折叠收藏。乾隆二十六年（1761年）《清会典》规定：皇帝专用弓，以七十张为定额，每年成造三张为备用。御用弓内稍有旧者，视诸皇子年龄大小和体质情况，对力交予皇子使用，被皇子淘汰者，再作为赏赐群臣之用。

清代嗣皇帝对先帝们的御用弓极为珍视，作为永传于世的"法物"尊藏。故宫现存实物中，有明确文字记载的皇帝用弓有：太宗文皇帝御用白面桦皮弓、世祖章皇帝御用黑面桦皮弓、圣祖仁皇帝御用通特克面弓、高宗纯皇帝御用万福锦桦皮弓、宣宗成皇帝御用步射宝弓、文宗显皇帝御用马箭弓等。

櫜鞬，又称撒袋，是盛装弓箭的套袋，櫜装箭，鞬装弓。櫜鞬质地有皮革、锦缎等。櫜，亦称箭箙，商代甲骨文写作盛矢在器中之形，自唐以后多呈长袋状。

清代皇帝櫜鞬注重装饰，名目繁多，各有所用。

皇帝大阅櫜鞬，银丝缎面。天鹅绒里，鞬弢弓及半，櫜盛鈚箭五支，梅针箭五支，骲箭三支。

皇帝大礼随侍櫜鞬，皮革为之，面蒙青倭缎，盛装箭支和数量同大阅差不多，凡遇祭祀、朝会等皇帝出动则佩侍。

皇帝吉礼随侍櫜鞬，金银丝缎面，镶嵌红、蓝宝石，盛鈚箭七支，骲箭一支，哨箭二支，每逢祭祀天地、日月、圣贤等吉礼，皇帝着吉服则佩侍。

皇帝随侍櫜鞬，有三种：1. 巡幸省方，视察各地时使用，櫜用黑色布革，鞬用黑色粗布，不加装饰。盛鈚箭五支，梅针箭五支，骲箭、哨箭、兔叉箭各一支；2. 前往圆明园，还宫以及行围启跸回銮时使用，櫜鞬皆用红色皮革，结金丝花，盛箭与吉礼同；3. 节令和朔望日，驾出时使用，用黑色皮革，结金银丝花，盛箭与吉礼同。

皇帝行围櫜鞬，木兰行围狩猎时佩戴，皆用黄色皮革，面饰金钉十九枚，间以金花衔绿松石，盛鈚箭七支、哨箭三支。

以上是特定的场合，特定的时刻，皇帝所使用的櫜鞬。平时皇帝用櫜鞬一副，则要随侍二十八副，以显等威。

弓箭、撒袋作为大清开国守业的象征，其重要意义往往超过兵器本身。所以皇帝在宫时，不管有用没用，每日例进弓矢，成为一种制度："每日早进护卫弓一张，矢二十四支，櫜鞬一副，暮进看守弓矢，櫜鞬亦如之；每日

进射箭弓一张，矢十枝，骲头箭十枝，均以司弓司矢各一人随侍。"（《钦定大清会典》卷 96）

御制刀剑

康熙、雍正、乾隆等皇帝命令内务府造办处按照他们本人的兴趣爱好和审美标准，制作了为数众多的上乘刀剑，被称为御用、御制或御定。其中乾隆时期制造的几宗带款识的刀剑可以说是清代冷兵器的代表作，它不仅继承、发扬了中国古代刀剑的传统式样和做法，还展现了当时的历史特点和工艺水平。这些刀剑制造工期之长、标准之高为历代罕见，且工艺精细、装饰名贵，体现了清鼎盛时期的奢侈和富有。

根据现存实物和档案记载，清宫造办处遵照乾隆皇帝的旨意，先后精心制作了四批带款识的御用刀剑——

第一批六十把刀剑：

天字一号至十号刀：鍊精、叩鸣、孔纯、月升、凤熛、飞鹊、宿铤、超阿、配威、飞蛇；

地字一号至十号刀：涌泉、振远、剪水、掩虹、彩锷、莹铤、柔逊、章威、霜明、寒锋；

人字一号至十号刀：鳢石、跃垒、霞彩、继辅、鲤腹、苍精、凝冰、摇电、逐指、应心；

天字一号至十号剑：星行、含英、舒空、虎胆、毓芝、掬霆、惠兴、秋霜、剪水、切玉；

地字一号至十号剑：出云、剸犀、曜威、吐芒、致祥、卫国、象功、辅德、烛微、霜锷；

人字一号至十号剑：流光、息兵、映月、鸣龙、刺钟、决云、转电、冲斗、跃虹、贯霄。

这批刀剑，从乾隆十三年（1748 年）十一月初六日，造办处的枪炮处依照皇帝"按名色做刀剑各三十把，每十把要一样，共六个样子"的指示开始设计图纸、制作样品，到乾隆二十二年（1757 年）五月初三日最终完成，历时十年之久。

乾隆帝对首批刀剑的制造颇费心血，事无巨细都要亲自过问、安排。工匠们每完成一道工序，均由枪炮处司库白世秀和七品首领萨木哈带着样稿和实物，转交总管太监胡士杰送皇帝御览。乾隆帝详细阅看后，亲自逐一指导修正："西番花吞口剑，枝叶再画整壮些，锦地吞口俗气，另画花样，剑上再添一道线，中间画做乾隆年制，一面做第一至第十"；"鍊精龙吞口刀、醴石香花吞口刀、螭虎吞口刀照样准做，其花（纹）用金、银红铜丝商做字号，不要元字号，做天地人三号，剑上要圆角长方的"；"刀鞘，准鞔黑子儿皮十把，鞔绿子儿皮二十把，剑鞘，要鞔红、绿、黑沙（鲨）鱼皮，每样十把"；"凿铁鋄金什件，凿法照交出碗套上一样做……准用金五分，鋄五分罩"；"红子儿皮鞘鋄金什件古式剑三十把……照盛古式刀三十把楠木箱式样，一样配箱盛装，钦此……"（《养心殿造办处各作成做活计清档·枪炮处》编号 3420）。造办处臣工不断地加工、改动，然后再呈览，直到皇帝满意为止。六十把刀剑共用去十年光景才最终完成，由此可见乾隆帝的良苦用心和重视程度。

第一批刀剑按天、地、人字编号，再各分上、下，五把一份，盛装在十二个楠木箱内。盛刀的总命名为"湛锷韬精"，盛剑的总命名为"神锋握胜"。箱面及皮签上刻字和书写工作，亦是遵从皇帝的旨意，由懋勤殿官员负责办理。

第二批刀是乾隆四十四年（1779年）制作完成的，分盛两箱共十把。"龙"字箱五把，"乾隆乙亥御定"，总命名"云文韫宝"，即：章威、寒锋、莹铠、流光、月刃。"虎"字箱五把，"乾隆乙亥御定"，总命名"霜锷含清"，即：霜明、风飚、摇电、逐指、飞蛇。

第三批刀制成于乾隆五十八年（1793年），计有：吐芒、掩虹、彩鄂、继辅、孔纯等十把，五把一份，其中一箱总命名"宝冶凝涛"，别号"风"，"乾隆癸丑御定"。另一箱现已不存，何名、何号不得而知，只剩腰刀数把搁置他处。

第四批刀制成于乾隆六十年（1795年），也就是乾隆皇帝退位禅让那一年，亦分为两箱，共十把，"乾隆乙卯御定"。"精"字箱五把，总命名"德耀祥金"，即：德兴、秋霜、唾芒、涌泉、宿铤。"神"字箱五把，总命名"功全利器"，即：挥霆、含英、转电、炼精、配威。

御制刀剑，多以鲨鱼皮和金桃皮蒙于鞘面，取其"避恶驱邪"和"威严独尊"之意。鲨鱼皮经过加工再糅以各种颜色，或使正面或用反面，是很理想的套鞘箱匣面饰材料，由于鲨鱼皮上有密密麻麻的粗沙粒状疙瘩，有些像鱼子，所以乾隆皇帝把正面使用的鲨鱼皮叫"红子儿皮"和"绿子儿皮"。金桃皮，是一种桃树的干、枝皮，今我国北方还常见到，呈金黄色，很像涂上一层金漆在里面，故名。匠人选就光滑、洁静、色鲜一面，裁成小条作为装饰物，亦显得富丽堂皇。

刀剑命名，以"天、地、人"命名器物，最早见于《史记·封禅书》："黄帝作宝鼎三，象天、地、人。"鼎为江山永固之兆，天地人则表示封建皇权，古代帝王常以此名贯于各类兵器之首。乾隆帝挖空心思将御用刀剑都加以名称，囊括天体中的日月星辰，自然界的霞风霜电和禽类的凤鹊、兽类的虎犀等等，俨然昭告自己是整个宇宙的主宰。

乾隆皇帝好古成癖，历代名人字画、稀世珍宝多有收藏。鉴于前代古兵实物流传甚少，他特指派宫廷造办处不惜工本地批量生产仿古刀剑，更非军事和战争之举。

这些造型古雅庄重、装饰靡丽美观的御制刀剑，除为满足皇帝的娱乐享受、殿堂陈设之外，还经常出现在大阅庆典、秋狝隆礼、命将出征及款洽外藩等重要场合，是皇帝政治和日常生活的组成部分。时经二百余载，这些刀剑仍尖锐锋利，寒气逼人，不失其夺目的风采。

御用甲胄

甲胄，亦称"介胄"，是古代帝王、将士穿用的铠甲和头盔。它们作为一种作战和礼仪装具，早在上古时期就已经有了。但明确见诸于文字，恐怕还是《左传·成公十三年》"躬擐甲胄"的记载。甲胄不但可以防身护体，以减少对敌作战中的伤亡，亦可藉以鼓舞士气和斗志，增强兵士勇往直前的勇气和胜利的信念，壮军威、显实力，所以各朝各代统治阶级都给予高度重视。清代也不例外，嘉庆皇帝明确指出："盔甲一项，原以饰军容而昭仪卫，于御侮折冲实用。"（《钦定大清会典事例·兵部》卷711）一直到鸦片战争之前，清政府都非常注重甲胄的规制和制作。

清代甲有藤甲、皮甲、棉甲、锁子甲和铁叶甲之分；盔有藤盔、皮盔、铁盔之别。清典制按使用者的身份地位，将甲胄分为皇帝、亲王、贝勒、督抚、文武品官、将军、总兵、参领、侍卫及兵丁甲胄等等，多达五六十种，等级繁琐而严密。其中，御用甲胄豪华庄重、气度非凡。现存详实可据的御用甲胄有：太祖高皇帝努尔哈赤、太宗文皇帝皇太极、世祖章皇帝福临、圣祖仁皇帝玄烨、高宗纯皇帝弘历的御用甲胄。

努尔哈赤与皇太极甲胄均属重型甲胄，有粗旷豪爽之风。两者相比较，皇太极甲胄又有明显不同。第一在形制上，甲改长袍大褂式为衣、裳分制式，更加方便实用；第二在图案上，改勾莲花纹为龙纹，增添了"八宝"图案，

这是太宗崇尚藏传佛教（喇嘛教）的结果；第三点不同是皇太极甲胄增添了一些附件，如甲上添置了前裆和左裆，除护项、护耳外又多了护颈，胄的重量减轻等等。父、子两代皇帝甲胄的这种变化，是与当时的政治历史条件及国体制度的变化紧密相连的。努尔哈赤时期政权初建，章法初置，战事频繁，在礼仪、典章等诸多方面不可能考虑过多。皇太极时期改元崇德，建国称帝，其甲胄也就随着这种政治局势的变化而真正成为皇帝甲胄，显得更加庄重、威严。

努尔哈赤和皇太极甲胄至今仍色彩鲜艳保存完好。金属护片虽少有锈蚀，但光泽处亦可照人。笔者经考证认为：它们并非是17世纪初叶之物，而是清乾隆时期的复制品。

首先，努尔哈赤甲胄所附的木牌上墨笔楷书"太祖高皇帝红闪缎面盔甲一副……"。"高皇帝"是太祖尊谥的略称。起初太祖的谥号为"武皇帝"，康熙朝改谥"高皇帝"。因而可以肯定努尔哈赤甲胄木牌上的文字是康熙以后才写上去的。据史料记载，太祖、太宗原甲胄一直存放在盛京（今沈阳）："盛京实胜寺藏太祖甲胄，数人举之弗能胜。"（吴振棫《养吉斋丛录》卷26）乾隆帝曾多次亲临实胜寺，满怀敬仰之情瞻仰先祖遗物，并于乾隆四十八年（1783年）七月初七日命内务府造办处将太祖、太宗盔甲"各补造一分（份）尊藏"（《养心殿造办处各作成做活计清档》编号3636）。这份乾隆朝的内务府档案是断定今天所见努尔哈赤和皇太极甲胄为乾隆时复制品的主要依据。

建洲女真社会经济的发展，为努尔哈赤父子的政治、军事活动以及着装、用品等提供了雄厚的物质基础。早在明初，建洲女真就有了"冶匠"，万历年间开始较大规模地采矿、冶炼，促进了手工业的发展。努尔哈赤最早"称王"的费阿拉城附近，聚集了一批专司甲、箭、银、铁、革、木等手工业制造者，已初步形成了官营军事手工业和家庭民用手工业相结合的完整体系。《满洲实录》称努尔哈赤征叶赫"盔甲鲜明，如三冬冰雪"。这些都从侧面反映了后金手工业的迅猛发展，可以说当时是有这种能力和条件制造较高水平的甲胄和各类兵器的。至于说甲胄的面料，很有可能是通过与明"朝贡"得到的。努尔哈赤曾多次前往京师"朝贡"、贸易，带去金银、东珠、貂皮、人参等贵重土特产，换回绫罗绸缎等所需物品。所以说在清草创初期，完全可以制造出精良的甲胄。

乾隆帝和其祖父康熙帝在许多方面都有相似之处，军政大事、生活小节多有效法，其中一套御用甲胄几乎与康熙帝的完全一致，只是在一些细小的地方略有改动和增添，如甲上多了一个"护心镜"，胄前梁添了一条金刚石腾蛇，胄体梵文字数排列也略有不同。袖子不完全是用金丝，贴身处为黄缎彩绣云龙。意大利籍宫廷画家郎世宁曾画过一张"乾隆身擐甲胄大阅图"，坐骑之上乾隆帝所着甲胄基本上是参照这样的甲胄绘制的。

世祖是清入关后第一个皇帝，他已不似先辈那样要亲自统率三军，跃马挥戈。圣祖虽"亲征"过一次，高宗虽

有"十全武功"之誉，也只是坐镇大内，等候佳音。所以此后历朝皇帝的甲胄不再出现通身内装铁片的现象，明显向轻便方向发展。但出于礼仪、典制上的需要，在纹样、装饰、用料等方面又走向繁琐、华贵，以衬"真龙天子"的身份。康熙以后，甲胄以皇帝独享的颜色——明黄为主，铁胄完全被淘汰，一律改为皮制。另外由于藏传佛教的影响，也为了进一步笼络蒙、藏等少数民族，"合内外之心，成巩固之业"，御用甲胄上多嵌装了镀金梵文咒语。到了道光朝时，尽管其御用胄也模仿前朝以梵文为饰，但梵文含意已经不太清楚了，以致道光十三年（1833年）八月曾"传旨中正殿喇嘛认看，将胄上梵文字释成汉字，开单持进呈览"。

御用鸟枪

《皇朝礼器图式》所列清代鸟枪有名称者近五十种，应该说绝大部分属于御用范畴。《清会典》特别将康熙、乾隆两位君主的御制或御用枪放在显著的位置，绘制图形并加以论述，一方面表明其地位重要，另一方面也表明康乾二帝对清代武器发展的突出作用和深远影响。

圣祖仁皇帝御制枪，其制有五：自来火大枪、自来火二号枪、自来火小枪、禽枪、小禽枪；

高宗纯皇帝御用枪，其制有四：虎神枪、旧神枪、花准枪、大准枪；

高宗纯皇帝御制枪，其制有七：特等第一枪——奇准神枪、头等第二枪——准正神枪、头等第三枪——纯正神枪、头等第四枪——连中枪、头等第五枪——应手枪、头等第六枪——威捷枪、头等第七枪——威赫枪。

康熙的枪名称较朴实，形体较粗壮，主要是根据鸟枪本身的结构和用途来命名。而乾隆的枪则不然，在名称上多有讲究，实物中尚有"百中、神花、折花、新奇、威远"等名称，原因是乾隆帝对旧有名称不甚满意和好大喜功所致，他在一项批示中说："武功良具折内有自来火二号枪名，俗气矣。此俗名着交大人们另拟枪名，如伊不能拟者，交于敏中拟名呈览。"（《养心殿造办处活计库清档》编号3590）

御用、御制枪均为制造精良之兵，除赋于雅名别号的以外，其他一律统称"武功良具"，每制作一批，皇帝都要亲自阅看，并提出对式样、纹饰、铭记等方面的修改意见。如：

乾隆四十年（1775年）三月十日，接得来报，带来信帖内开，本月初，鸟枪上首领张保祥来说，太监胡世杰传旨，将武功良具内交线枪六十杆，回銮时在圆明园伺候呈览，钦此。于二十日将武功良具内交枪六十杆并未刻字玉枪底十三件上帖刻字，来文，安在奉三无私（殿）呈览。

奉旨交枪四十杆内，挑出平常一杆，将新虎神枪续入乾隆年造枪第一杆。……其玉枪底交如意馆，即刻字得时陆续安装，钦此。

于四月二十七日，将御制奇准神枪一杆、御制应手枪一杆、御制威赫枪一杆、纯正神枪一杆、准正神枪一杆、威远枪一杆、百十枪一杆，安得玉字枪底，持进交太监胡世杰呈览。奉旨，知道了，钦此。（《养心殿造办处活计库清档》编号3590）

"玉字枪底"，即每枝御用枪的枪托最端部都镶嵌一块青玉或白玉，玉上铭刻枪名及有关枪本身的一些数据，诸如："新奇枪，重十二斤五两，长四尺四寸，药二钱五分，子四钱九分"；"折花交枪，长二尺五寸，重五斤十二两，药重二钱，子重三钱六分"；"叉子枪，重三斤四两，长三尺九寸，用药一钱七分，铅丸重三钱四分，一百弓有准。"

玉质枪托底的另一项功能是使枪竖起戳地时，不至于磨损。另外还有铜、铁等金属和兽骨托底。

故宫博物院藏有一杆刻诗的嘉庆御用枪，这是目前所发现清代兵器中仅有刻御制诗的一例，诗曰：

西林耀朱霄，寻鹿步兰皋。
择牡寓除暴，发机即中膏。
坚刚允神器，星斗晰秋毫。
审度辨迟速，几余偶习劳。

仁宗睿皇帝论文讲武均比不上其父乾隆，但力求事效法，并别出新裁，诗刻于兵，以示与皇考的不同。此举也算继承祖制，借木兰行围之举，寓习武"除暴"之实。

御制弓箭、櫜鞬

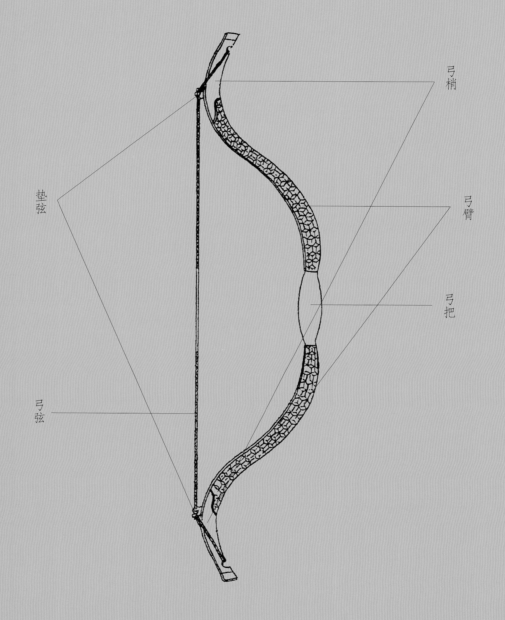

弓梢

弓臂

弓把

弓弦

垫弦

弓弦

1. 清太宗御用白面桦皮弓

清前期（清太宗）

长 178.5 厘米

　　弓木质，面贴白牛角，背贴白桦皮。弓梢处包嵌银叶片，骨质垫弦，弓弦一根，弓中部镶暖木一块。附皮签，墨书满汉文"太宗文皇帝御用白面桦皮弓一张　原在盛京尊藏"。

2. 清太宗御用黑桦皮弓

清前期（清太宗）

长 177.5 厘米

弓木质，面贴黑牛角，背贴白桦皮，染成黑色。弓梢处包嵌牛角，骨质垫弦，弓弦一根，弓中部镶暖木一块。附二木牌，各墨书满汉文"太宗文皇帝黑面桦皮弓 二号"。附二皮签，墨书满汉文"太宗皇帝黑面弓"、"太宗文皇帝御用黑面桦皮弓一张 原在盛京尊藏"。

3. 清世祖御用花桦皮弓

清顺治

长 178 厘米

弓木质，面贴黑牛角，背贴染色桦皮。弓梢处包嵌牛角，牛角上镌"七力"二字，骨质垫弦，弓弦一根，弓中部镶暖木一块。附皮签，墨书满汉文"世祖章皇帝御用花面桦皮弓一张 康熙十年恭贮"。

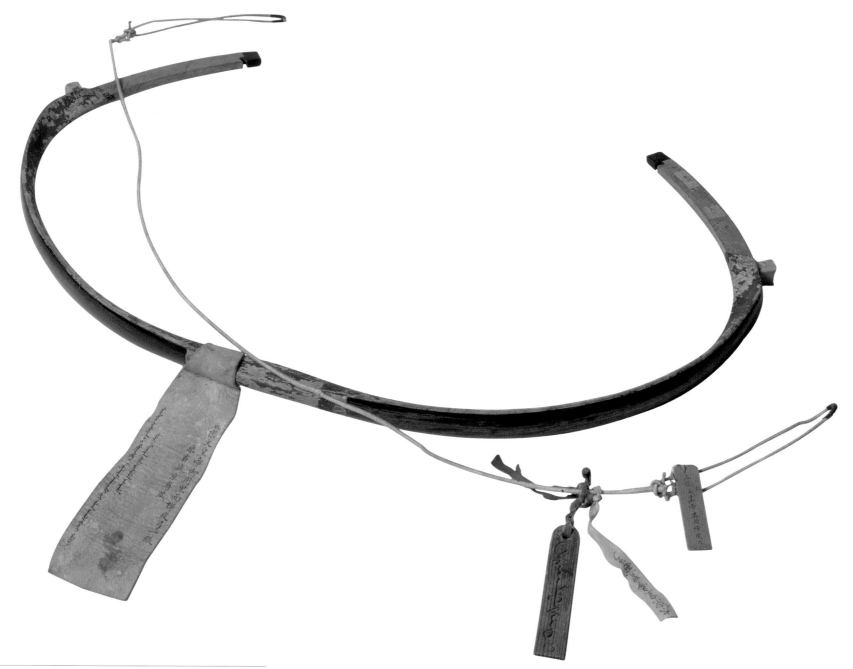

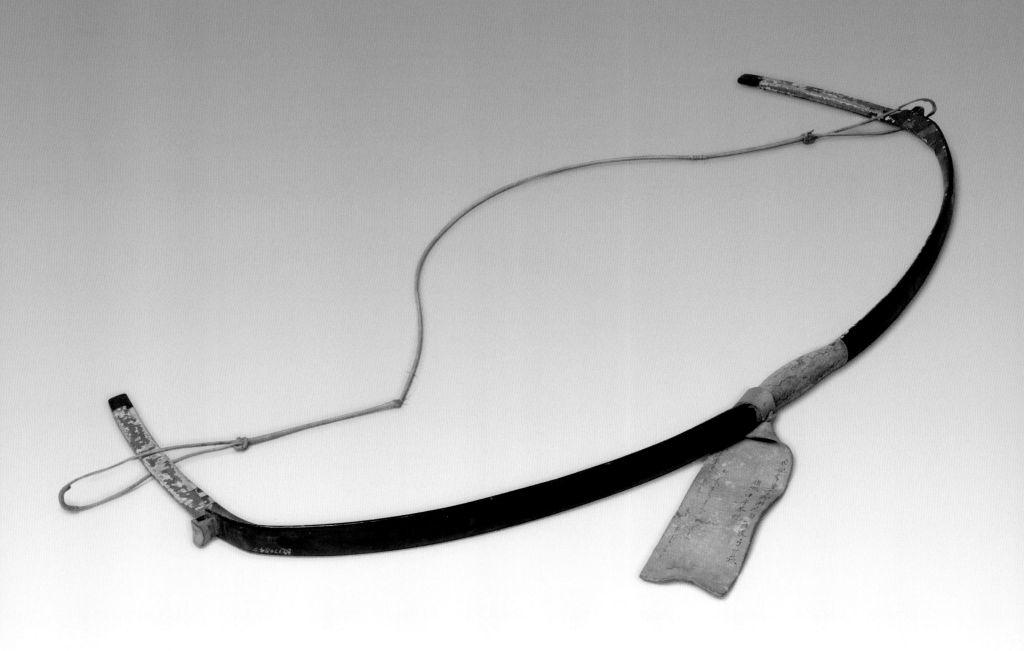

4. 清世祖御用绿花面桦皮弓

清顺治

长 172 厘米

　　弓木质，面贴浅绿色牛角，背贴白桦皮。弓梢处包嵌牛角，骨质垫弦，弓弦一根，弓中部镶暖木一块。附二皮签，墨书满汉文"世祖皇帝御用绿花面弓"、"世祖章皇帝御用绿花面桦皮弓一张　康熙十年恭贮"。

5. 清世祖御用黑面桦皮弓

清顺治

长 174 厘米

　　弓木质，面贴黑牛角，背贴染色桦皮。弓梢处包嵌牛角，骨质垫弦，弓弦一根，弓中部镶暖木一块。附皮签，墨书满汉文"世祖章皇帝御用黑面桦皮弓一张　康熙十年恭贮"。

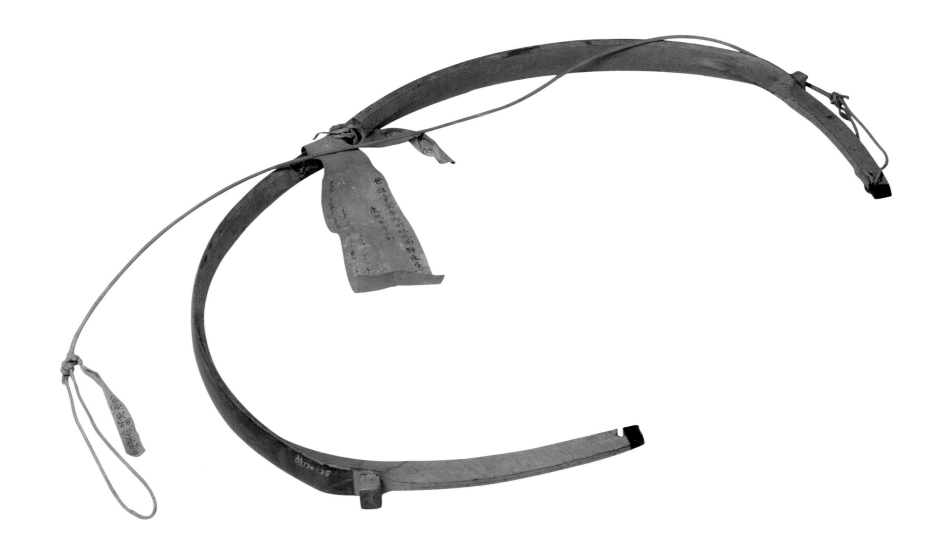

6. 清圣祖御用通特克面弓

清康熙

长 174 厘米

　　弓木质，面贴牛角，背贴染色桦皮。弓梢处包嵌牛角，骨质垫弦，弓弦一根（已佚），弓中部镶暖木一块。附皮签，墨书满汉文"圣祖仁皇帝御用通特克面桦皮弓一张　康熙二十一年恭贮"。

　　特克，或译作"忒格"，蒙古语意为大角羊。

7. 清圣祖用通花面桦皮弓

清康熙

长 178.5 厘米

　　弓木质，面贴牛角，背贴染色桦皮。弓梢处包嵌牛角，骨质垫弦，弓弦一根，弓中部镶暖木一块。附木牌上书满文（残）。附两皮签，墨书满汉文"圣祖皇帝通花面油弓　十一力"、"圣祖仁皇帝御用通花面桦皮弓一张　康熙二十一年恭贮"。

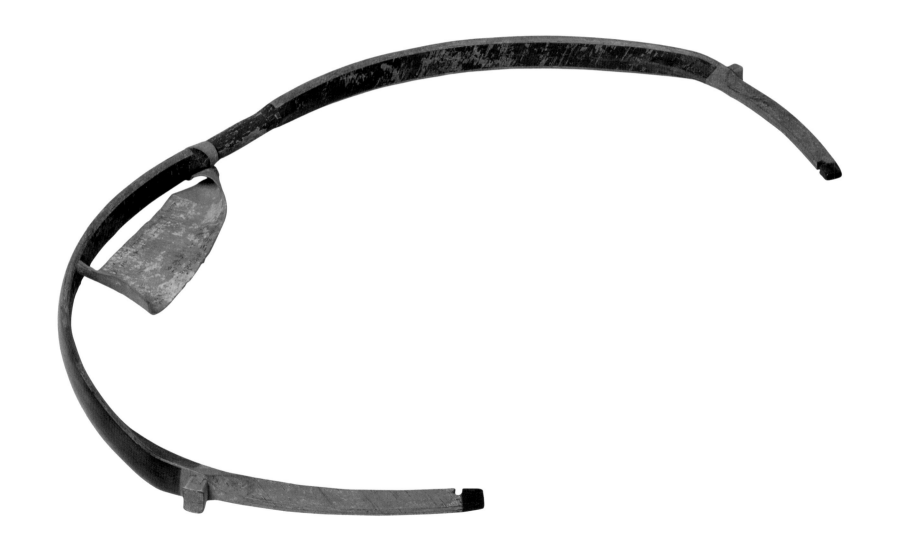

8. 清世宗御用葡萄面桦皮弓

<u>清雍正</u>

<u>长 179 厘米</u>

　　弓木质，面贴牛角，背贴染色桦皮。弓梢处包嵌牛角，骨质垫弦，弓弦一根，弓中部镶暖木一块。附两皮签，墨书满汉文"世宗皇帝葡萄花面弓　四力半"、"世宗宪皇帝御用葡萄桦皮弓一张　乾隆八年恭贮"。

9. 清高宗御用吉庆锦弓

<u>清乾隆</u>

<u>长 179 厘米</u>

　　弓木质，面贴牛角，背贴桦皮，饰以彩漆吉祥纹。弓梢处包嵌牛角，包嵌牛角镌"五力半"三字，骨质垫弦，弓中部镶暖木一块。附皮签，墨书满汉文"高宗纯皇帝御用定把花面吉庆锦弓一张　乾隆十九年恭贮"。

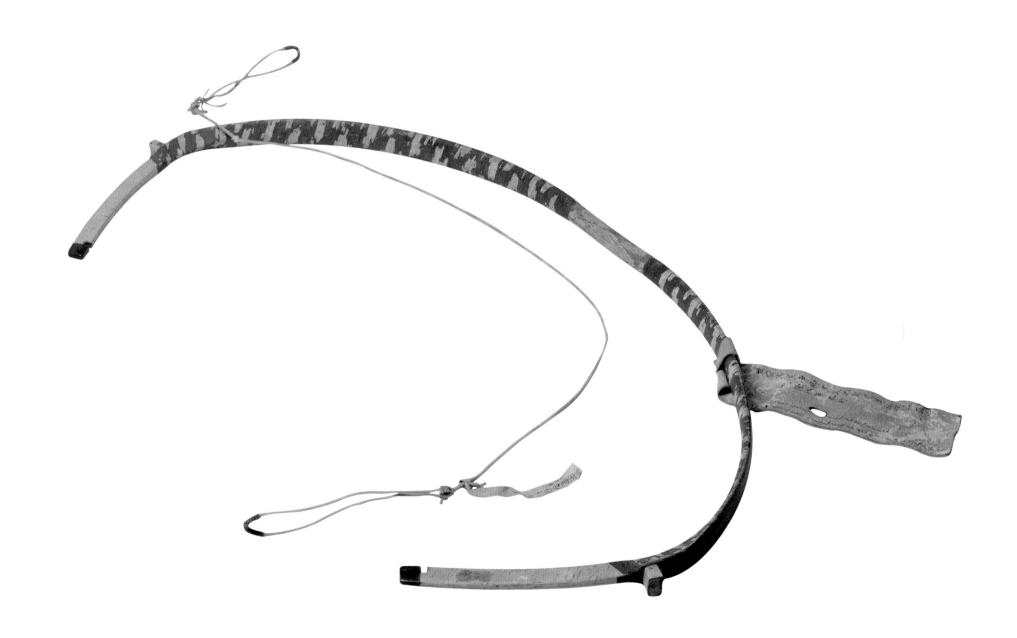

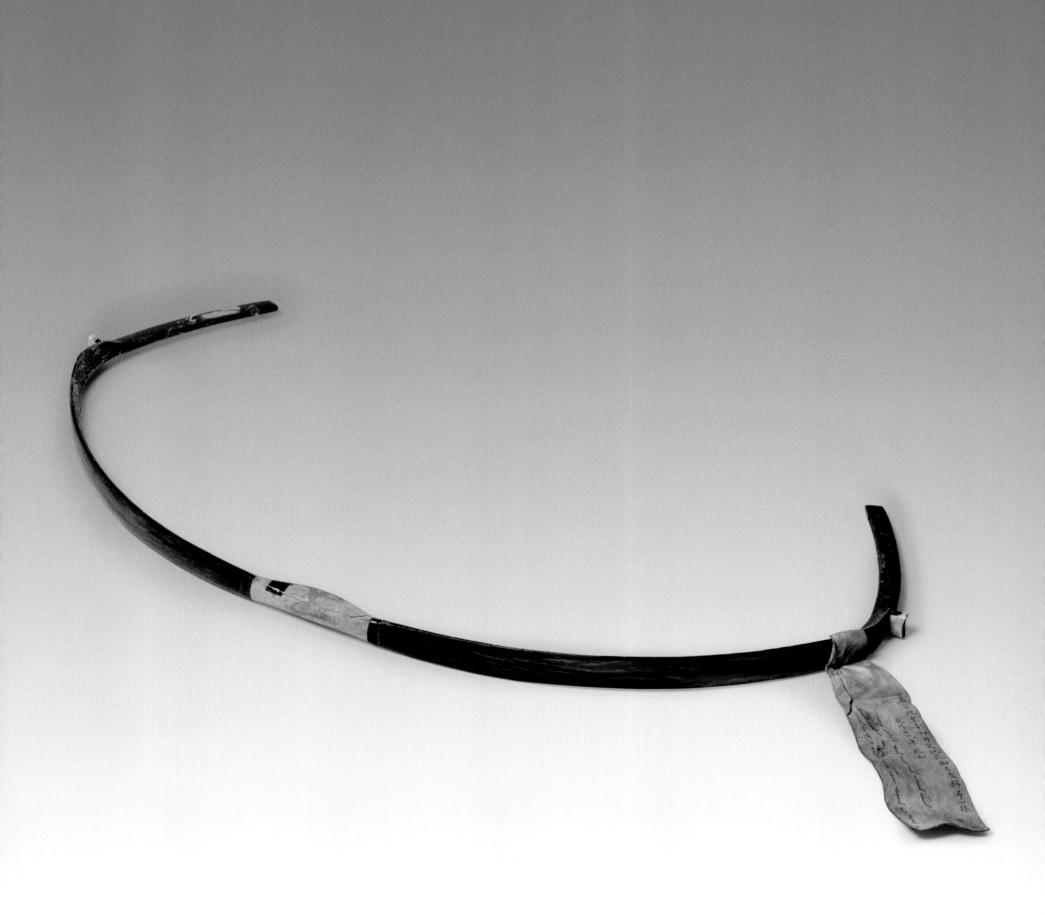

10. 清高宗御用黑面桦皮弓

清乾隆

长 178 厘米

弓木质，面贴牛角，背贴彩漆桦皮。弓梢处包嵌牛角，包嵌牛角镌"七力"二字，骨质垫弦，弓弦一根，弓中部镶暖木一块。附皮签，墨书满汉文"高宗纯皇帝御用定把黑面桦皮弓一张 乾隆十九年恭贮"。

11. 清高宗御用万福锦桦皮弓

清乾隆

长 120 厘米

弓木质，面贴牛角，背贴桦皮，饰以彩漆万福纹（残）。弓梢处包嵌牛角，骨质垫弦，弓中部镶暖木一块。附皮签，墨书满汉文"高宗纯皇帝御用万福锦花桦皮弓一张 乾隆四十三年恭贮"。

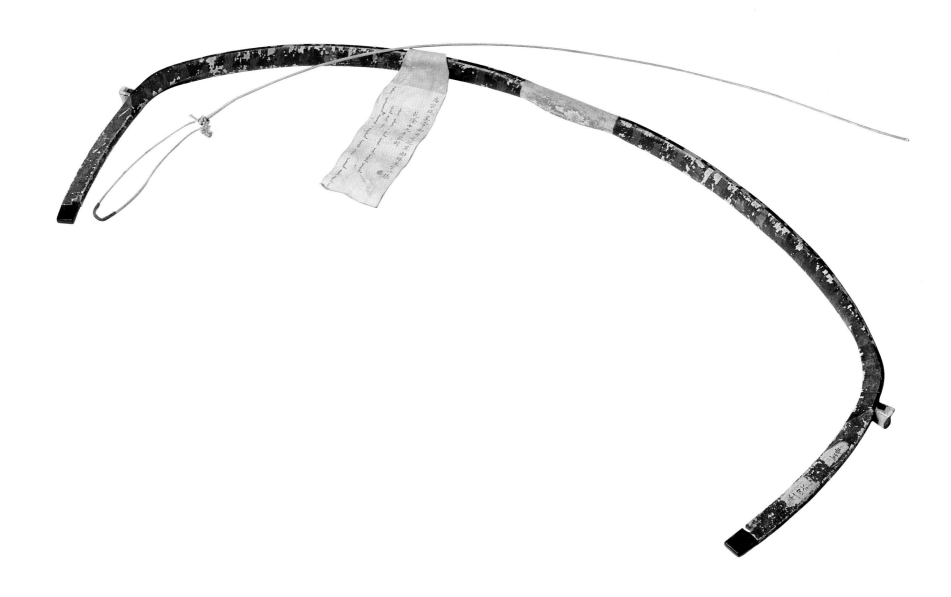

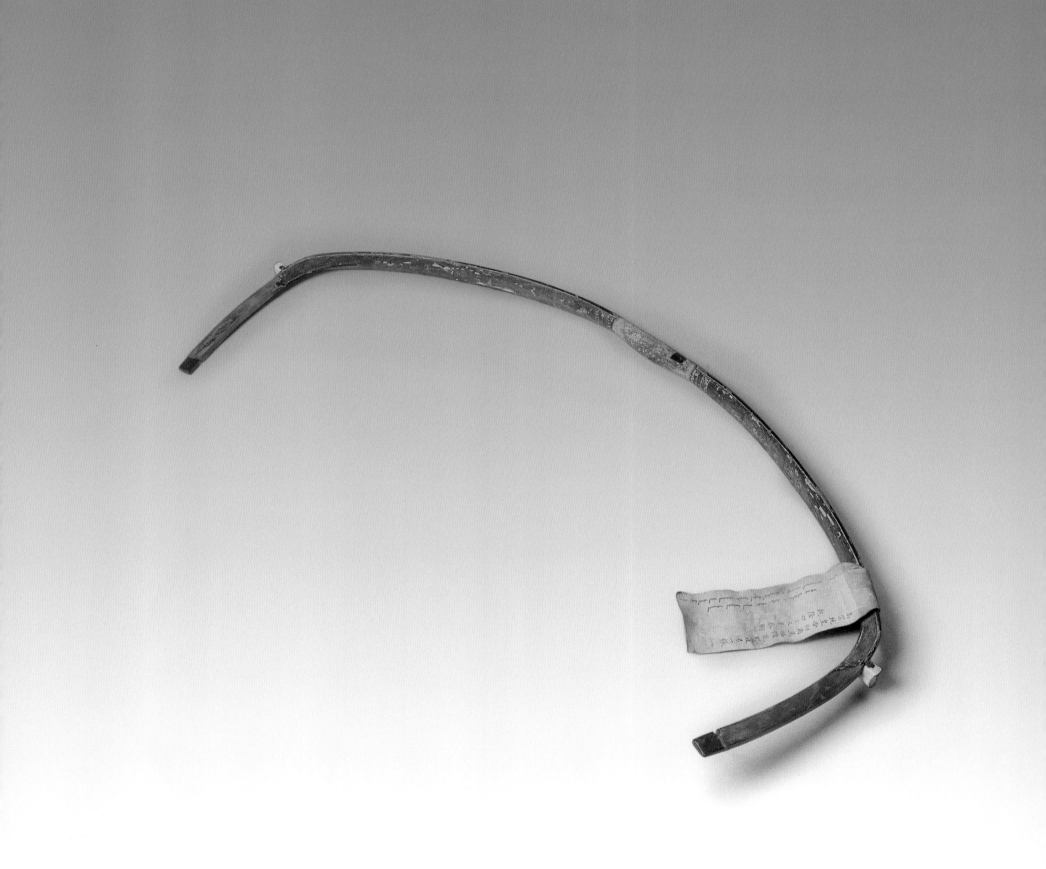

12. 清高宗御用金桃皮弓

清乾隆

长 179 厘米

弓木质，面贴牛角，背贴金桃皮。弓梢处包嵌牛角，骨质垫弦，弓弦一根，弓中部镶暖木一块。牛角面贴黄纸签墨书一张，墨书"盛京"二字；另镌满汉文"乾隆十六年 上在木兰德尔吉围场射中一狼宝弓"、"乾隆十九年上在吉林围场御用宝弓射中一羆一熊数鹿"。

13. 清高宗御用牛角金桃皮弓

清乾隆

长 145 厘米

弓木质，面贴牛角，背贴金桃皮，饰以彩漆描金。弓梢处包嵌牛角，骨质垫弦，弓弦一根，弓中部镶暖木一块。弓面贴镌满汉文"乾隆二十二年 带领准噶尔投降人众木兰行围上用宝弓在依绵豁罗围场射中一虎"。

"准噶尔投降人众"，指的是自康熙二十九年（1690 年）开始，至乾隆二十二年（1757 年）清政府平定准噶尔贵族分裂叛乱战争结束，期间投降的准噶尔贵族。其中应包括乾隆二十年免死加恩封为亲王、入旗籍的达瓦齐等。

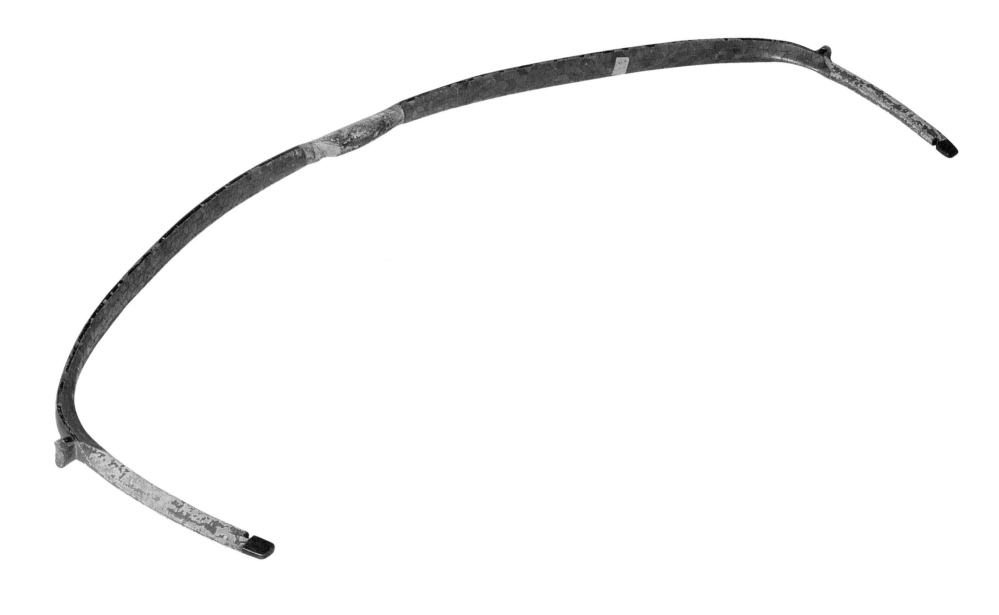

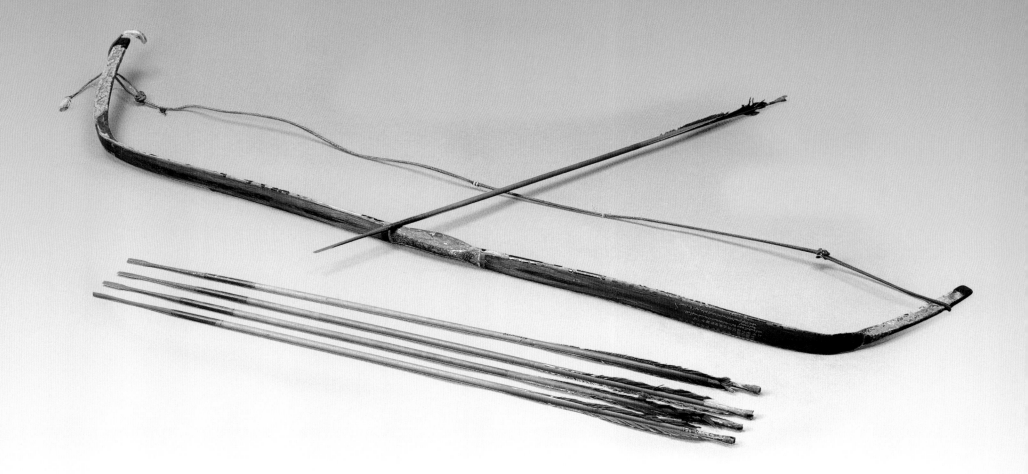

14. 清高宗御用牛角万福锦桦皮弓

清乾隆

长 137 厘米

弓木质，面贴牛角，背贴桦皮，饰以彩漆万福纹（残）。弓梢处包嵌牛角，弓弦一根，弓中部镶暖木一块。附木牌，墨书"高宗纯皇帝御用弓一张"。弓面镌满汉文"乾隆二十五年八月　在木兰围场　上射中四鹿三麅宝弓"、"乾隆二十六年八月　在木兰围场　上射中三鹿三麅宝弓"。

15. 清高宗御用牛角金桃皮弓

清乾隆

长 177 厘米

弓木质，面贴牛角，背贴金桃皮。弓梢处牛角镌"三力"二字，弓弦一根，弓中部镶暖木一块。弓面镌满汉文"乾隆五十年八月二十七日　墨尔根岳洛围场　上射中三鹿二麅宝弓"、"乾隆五十一年八月二十一日　巴彦托罗海围场　上四箭射中四鹿宝弓"、"乾隆五十二年八月二十一日　巴彦喀喇围场　上射中三鹿宝弓"、"乾隆五十四年八月二十六日　巴彦和乐围场　上射中三鹿宝弓"、"乾隆五十六年八月二十日　永安莽喀围场　上射中二鹿宝弓"。

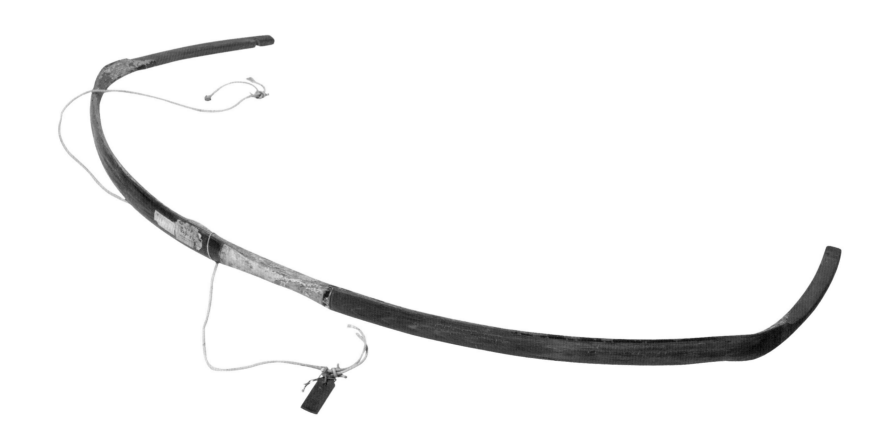

16. 清文宗御用马箭弓

清咸丰

长 177 厘米

弓木质，面贴牛角，背贴金桃皮。弓梢处饰牛角镌"五力"二字，骨质垫弦，弓中部镶暖木一块。附皮签，墨书满汉文"文宗口皇帝……马箭弓一张"；另附一木牌签墨书满文（墨迹不清）。

17. 清穆宗御用牛角桦皮弓

清同治

长 175 厘米

弓木质，面贴牛角，背贴彩漆桦皮。弓梢处饰牛角，骨质垫弦，弓中部镶暖木一块。贴黄纸签墨书"穆宗"二字。

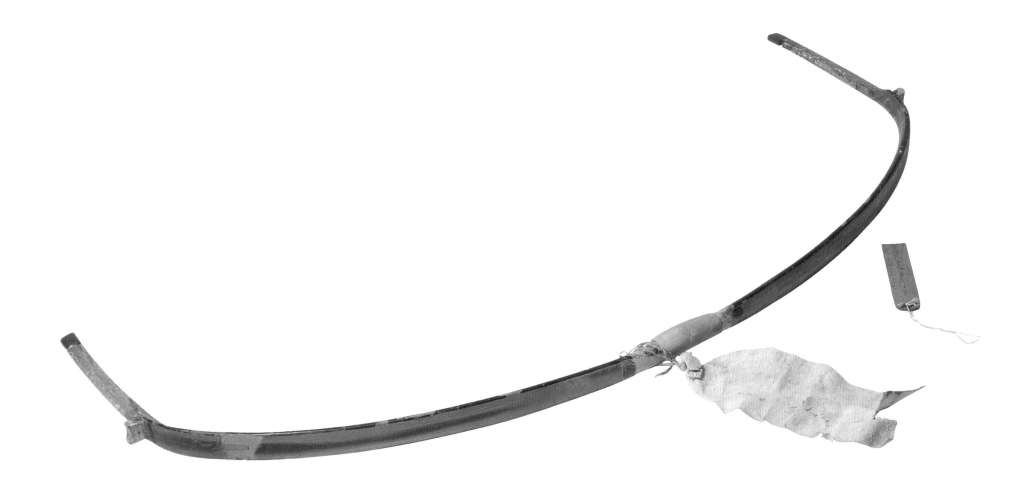

18. 黑皮嵌倭铜櫜鞬

清康熙

櫜长 39 厘米　宽 25 厘米

鞬长 82 厘米　宽 34 厘米

櫜鞬皮质，黑色，绿边，嵌铜饰件，饰黑
漆鋄金花叶纹。附绦带一根，面为紫丝线编结
而成，里红缎平金花叶及吉祥纹饰，亦嵌铜髹
漆饰件。附黄纸签墨书"武字一三五号　圣祖
仁皇帝倭铜镀金镶嵌櫜鞬一副　紫鞓带"。附
皮签，字迹不清。

19. 御用大阅櫜鞬

清乾隆

櫜长 36 厘米　宽 21 厘米

鞬长 79 厘米

金银丝缎，缎面绣彩色花卉、花蕾、枝叶，
以金银丝连缀勾勒图案，上嵌铁镀金镂夔龙饰
件，上嵌东珠。附绦带一根。

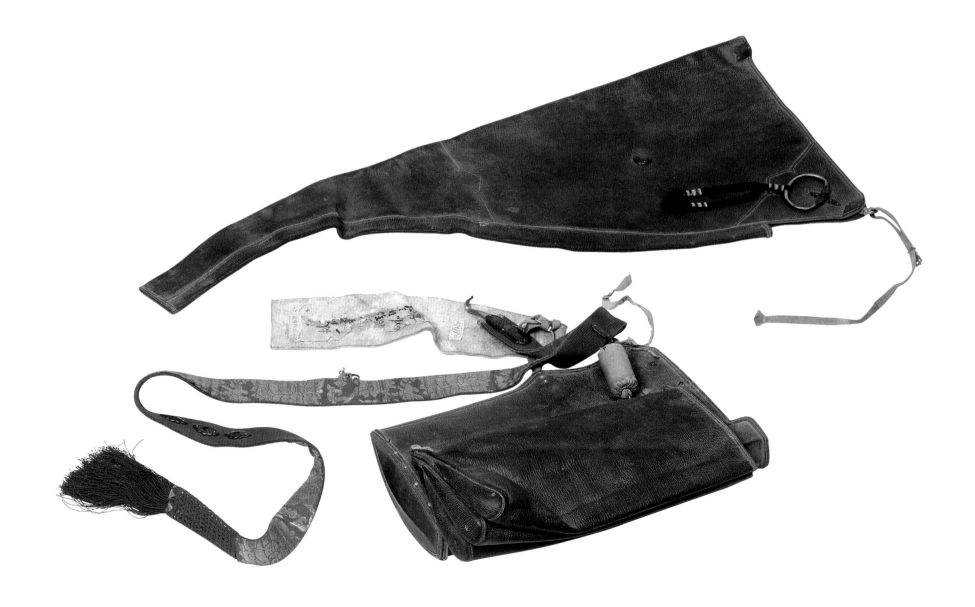

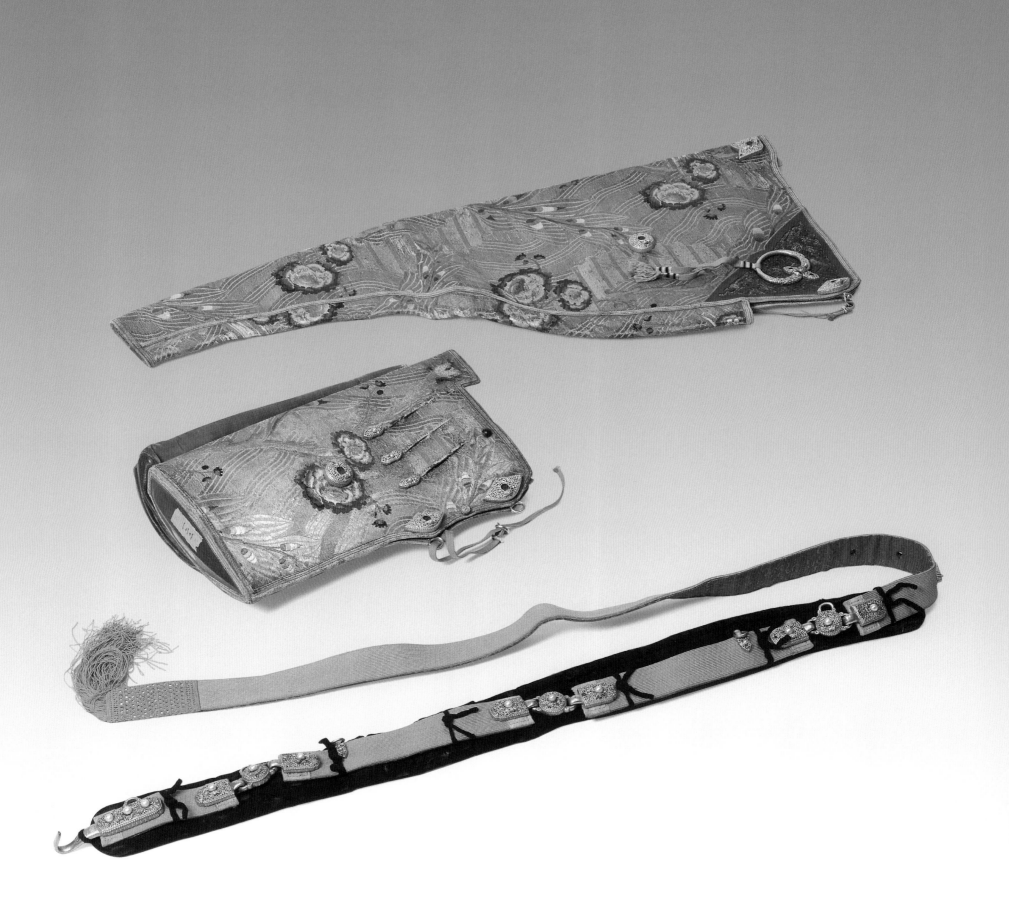

20. 红皮画珐琅铜钉櫜鞬

清乾隆

櫜长 36 厘米　宽 26 厘米

鞬长 77 厘米　宽 34 厘米

　　櫜鞬皆牛皮制成，皮面压模彩绘黄色花卉纹，镶嵌画珐琅饰件，用铜镀金钉加以固定。附黄纸签墨书"櫜字第五号"，附皮签满汉文墨书"高宗纯皇帝御用珐琅镶嵌压花櫜鞬一副 乾隆十九年恭贮"。

21. 黑绒面嵌玉珊瑚櫜鞬

清乾隆

櫜长 34 厘米　宽 23 厘米

鞬长 80 厘米

　　櫜鞬皆黑绒制，饰件同。银镀金雕夔龙、蝙蝠为饰，镶嵌白玉和珊瑚，周围饰绿皮边，底部饰珉瑁。附绦带一根，面为黄丝线编结而成，饰银镀金蝙蝠纹，上嵌珊瑚。

　　附皮签，满汉文墨书"高宗纯皇帝御用嵌玉石珊瑚青倭缎櫜鞬一副 乾隆四十三年恭贮"。

22. 金银丝缎櫜鞬

清

櫜长 35 厘米　宽 20 厘米

鞬长 77 厘米

櫜鞬为金银丝缎制成，黄底，由红、粉、黄、绿、蓝等色组成花叶图案，绿皮边，面镶嵌铜镀金花叶饰件，饰件上均镶嵌大小各异的红玻璃。櫜底边呈半圆状嵌铜镀金镂空梅花。附绦带一根。

这批金银丝缎櫜鞬颇具特色，花纹流畅，色泽艳丽。金银丝缎厚重、结实，又称金宝地，为 18 世纪较为盛行的织物，它吸收了当时欧洲时髦的一些装饰手法，图案大方、真实、自然，多用来制作帏幔、铺垫和櫜鞬等。

23. 清人画康熙戎装像

<u>清康熙</u>

<u>纵 112.3 厘米　横 71.4 厘米</u>

　　图绘康熙皇帝顶盔贯甲，腰悬宝刀、弓箭、端坐于交椅之上。此图应是康熙皇帝围猎时的写实之作。

24. 清人画弘历一发双鹿图

<u>清</u>

<u>纵 167.5 厘米　横 113.2 厘米</u>

　　此图描绘乾隆晚年仍精于骑射，一箭射中双鹿。图上有御制诗一首记载此事，及永琰、永瑆、和珅、王杰、董诰等贺诗。

御制刀剑

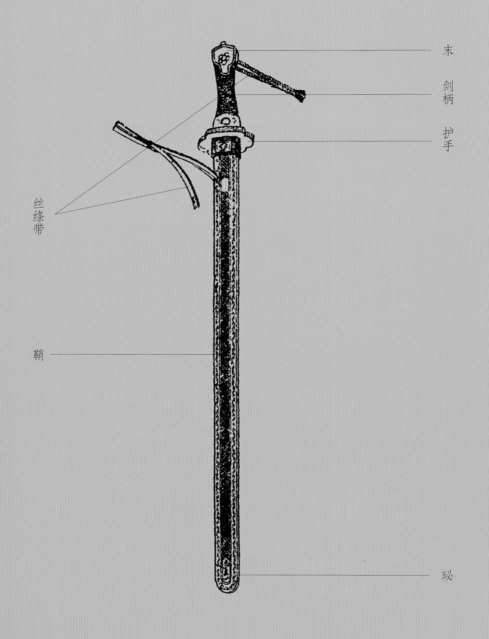

末 剑柄 护手

丝缘带

鞘

玜

25. 玉柄孔纯腰刀

<u>清乾隆</u>

<u>长 95 厘米</u>

　　底部一面嵌银丝横为"天字三号"、纵为"孔纯"，另一面横为"乾隆年制"款，纵为錽金、银、铜丝组成的云、花、鹿图案。銎以錽金、银、铜丝构成夔龙流云纹。护手为铁錽金镂雕夔龙、火珠等纹饰。玉柄光素。系明黄丝绦带，饰红珊瑚珠，两端以铜镀金莲花座固定。

　　刀鞘木质，饰金桃皮，琫、珌皆錽金镂雕龙纹，嵌绿松石。横束铁錽金箍两道，鞘背为铁錽金提梁，系明黄丝绦带与铜镀金环相属。

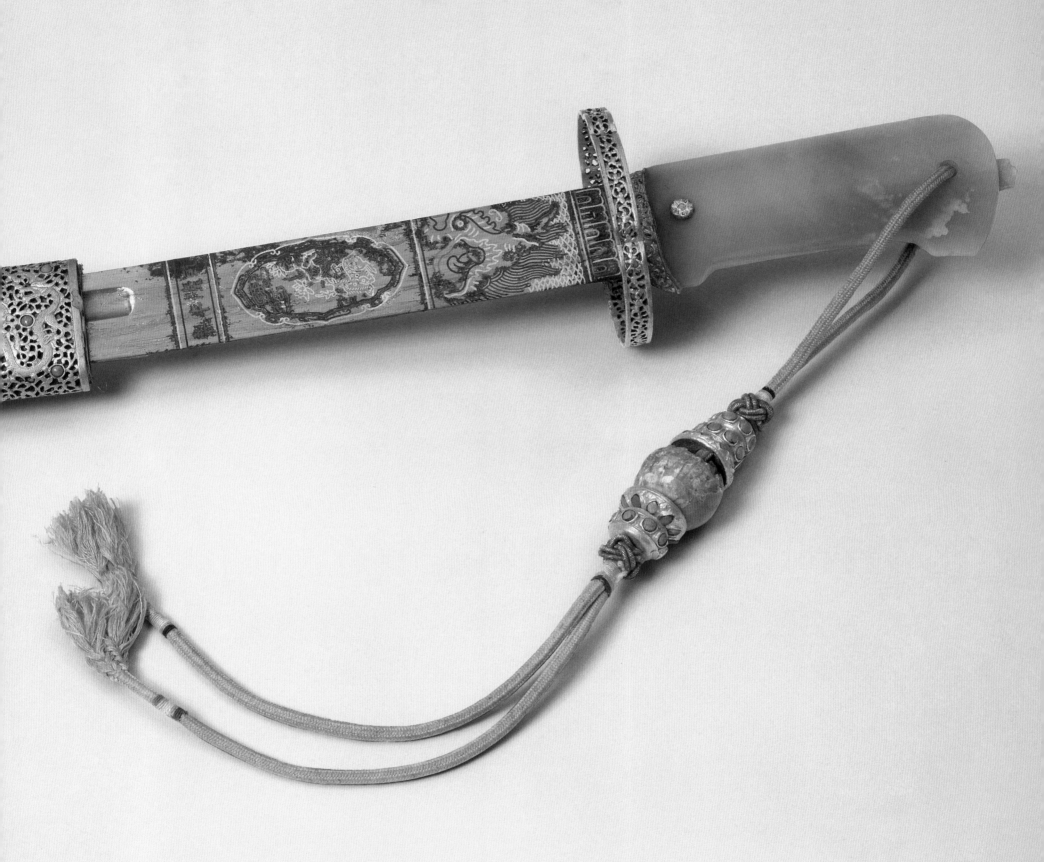

26. 绿鲨鱼皮鞘剪水腰刀

清乾隆

长 93 厘米

底部一面嵌银丝横为"地字三号"、纵为"剪水",另一面横为"乾隆年制"款,纵为錽金、银、铜丝组成的水波纹。鋈以錽金、银、铜丝构成云水纹。护手为铁錽金镂雕夔龙纹饰。木柄外缠黄丝绦带,系明黄丝绦带。

刀鞘木质,饰绿鲨鱼皮,横束铁錽金箍两道,鞘背为铁錽金提梁,系明黄丝绦带与铜镀金环相属。上系皮签,书满汉文"地字三号剪水刀一 重二十四两 乾隆年制"。

27. 玉雕花柄柔逋腰刀

<u>清乾隆</u>

<u>长 96 厘米</u>

　　钢刀刃锋，底部一面鋄银横为"天字四九号"、纵为"柔逋"，另一面横为"乾隆年制"，纵为鋄金、银、铜丝构成变形云龙纹。护手为铁镀金如意菱形盘，镂雕夔龙、火珠、云等纹饰。玉柄雕刻花纹，嵌红珊瑚珠和青金石。系明黄丝绦带，饰红珊瑚珠，两端以铜镀金饰件固定。

　　刀鞘木质，饰金桃皮，琫、珌皆铁鋄金镂雕龙纹。横束铁鋄金箍两道，鞘背为铁鋄金提梁，系明黄丝绦带与铜镀金环相属。

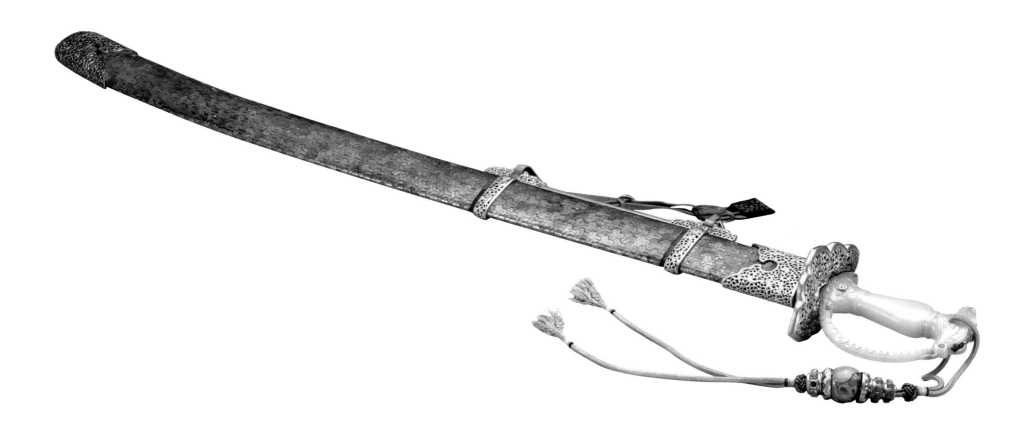

28. 绿鲨鱼皮鞘鲤腹腰刀

清乾隆
长 92 厘米

底部一面錽银丝横为"人字五号"、纵为"鲤腹",另一面横为"乾隆年制"款,纵为錽金、银、铜丝组成的一老者乘舟,左手抓鱼,右手执刀图案。鋬以錽金、银、铜丝构成花叶纹。护手为铁镀金镂雕夔龙纹椭圆形盘。木柄外缠黄丝绦带,系明黄丝绦带。

刀鞘木质,饰绿鲨鱼皮,横束铁錽金箍两道,鞘背为铁錽金提梁。附皮签,墨书满汉文"人字五号 鲤腹刀一 重二十四两 乾隆年制"。

29. 黑漆金银纹鞘太阿腰刀

<u>清乾隆</u>

<u>长 96 厘米</u>

钢刀刃锋，底部一面鋄银丝横为"地字一号"，纵为"太阿"，另一面横为"乾隆年制"，纵为鋄金、银、铜丝组成的一人在云月下试刀图案。鋬以鋄金、银、铜丝构成变形云龙纹。护手为铁镀金圆形盘，镂雕夔龙、火珠、云等纹饰。包饰黄丝绦带，末亦铁镀金镂刻龙纹，嵌红珊瑚、绿松石和青金石。系明黄丝绦带，饰绿松石珠，两端以铜镀金饰件固定。

刀鞘木质，髹黑漆，嵌金、银、铜丝组成回纹、星纹、如意云纹等。琫、珌皆铁鋄金镂云龙纹。嵌红珊瑚、绿松石和青金石。横束铁鋄金箍两道，嵌饰同琫、珌。鞘背为铁鋄金提梁，系明黄丝绦带与铜镀金环相属。

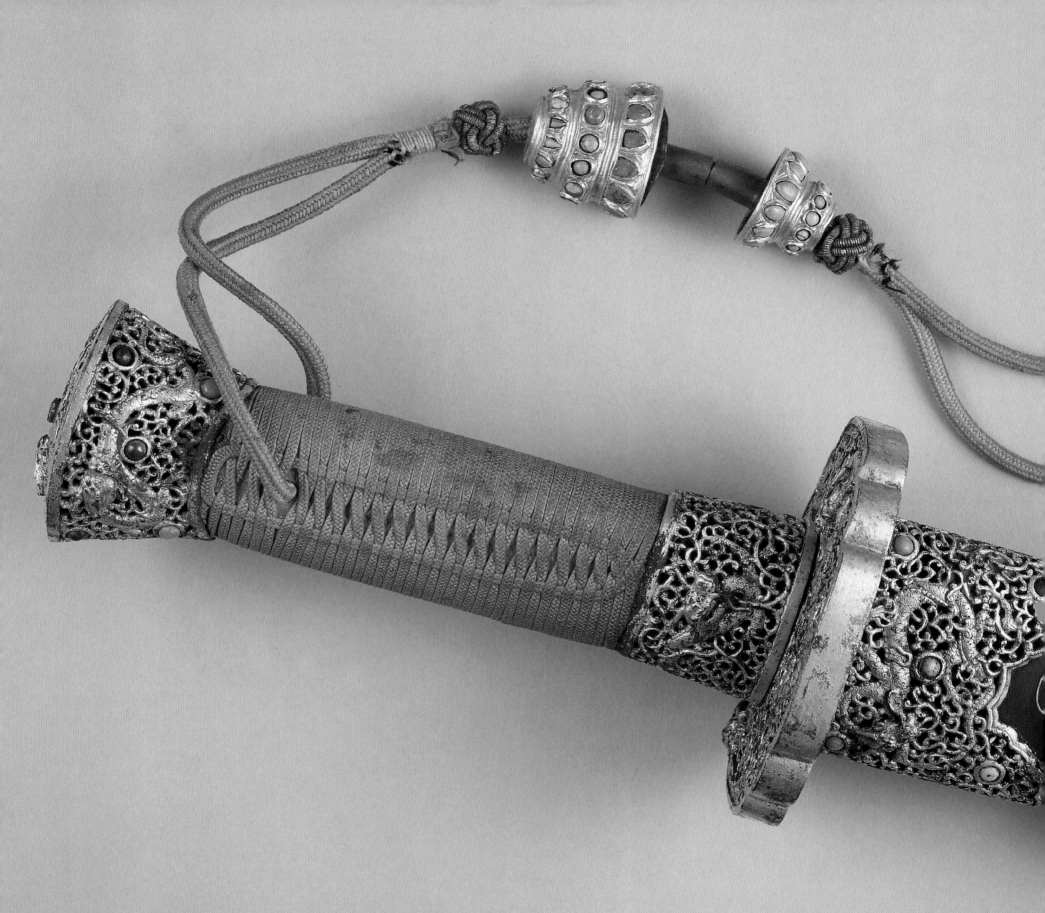

30. 红鲨鱼皮鞘出云剑

清乾隆

长 100 厘米

底部一面镀金横为"地字一号"、纵为"出云"，另一面横为"乾隆年制"款，纵为镀金、银、铜丝组成云水纹。护手为铁镀金黑漆地雕缠枝莲纹元宝形盘。木柄外缠黄丝绦带，柄头呈如意云头状，纹饰与护手相同。

剑鞘木质，饰红鲨鱼皮，璏、珌皆铁镀金雕缠枝莲纹，横束铁镀金箍两道，鞘背为铁镀金提梁。附皮签，墨书满汉文"地字一号 出云剑一 重二十六两 乾隆年制"。

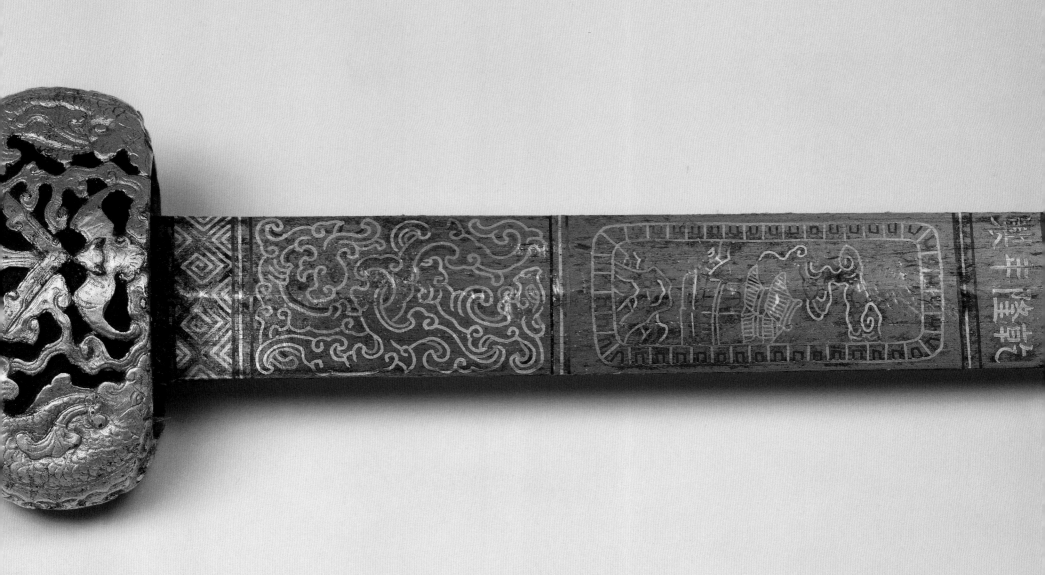

31. 红鲨鱼皮鞘烛微剑

清乾隆

长 99 厘米

底部一面錽银横为"地字九号"、纵为"烛微"，另一面横为"乾隆年制"款，纵为錽金、银、铜丝组成的老者扶案观剑图，剑锋处仙云托起北斗七星图案。鋆以錽金、银、铜丝构成变形云龙纹。木柄外缠黄丝绦带，护手及柄头为铁镀金黑漆地雕磬、鱼、蝙蝠、云等图案。

剑鞘木质，饰红鲨鱼皮，琫、珌皆铁錽金黑漆地雕磬、鱼、蝙蝠、云等图案。横束铁錽金箍两道，鞘背为铁錽金提梁。附皮签，墨书满汉文"地字九号　烛微剑一　重三十两　乾隆年制"。

32. 红鲨鱼皮鞘决云剑

<u>清乾隆</u>

<u>长 99 厘米</u>

　　底部一面鋄金横为"人字六号"，纵为"决云"，另一面横为"乾隆年制"款，纵为鋄金、银、铜丝组成的老者习武图。鋄以鋄金、银、铜丝构成龙首云纹。木柄外缠黄丝绦带，护手为铁镀金糅黑漆饰缠枝莲纹元宝形。柄首呈如意云头状，铁镀金糅黑漆饰缠枝莲纹。

　　剑鞘木质，饰红鲨鱼皮，珥、珌皆铁鋄金糅黑漆饰缠枝莲纹。横束铁鋄金箍两道，鞘背为铁鋄金提梁。附皮签，墨书满汉文"人字六号 决云剑一 重三十一两 乾隆年制"。

33. 青玉柄秋霜腰刀

清乾隆

长 95 厘米

底部一面錽银横为"地字二十八号"、纵为"秋霜"，另一面横为"乾隆年制"款，纵为錽金、银、铜丝组成的玉兔花叶图。鋈以錽金、银、铜丝构成云龙纹。护手为铁镀金如意菱形盘，镂雕夔龙、火珠、云等纹饰。玉柄嵌各色螺钿组成花草纹。系明黄丝绦带，饰以红珊瑚珠，两端以铜镀金莲花座固定。

刀鞘木质，饰金桃皮，琫、珌皆铁錽金镂雕龙纹。横束铁錽金箍两道，鞘背为铁錽金提梁，系明黄丝绦带与铜镀金环相属。

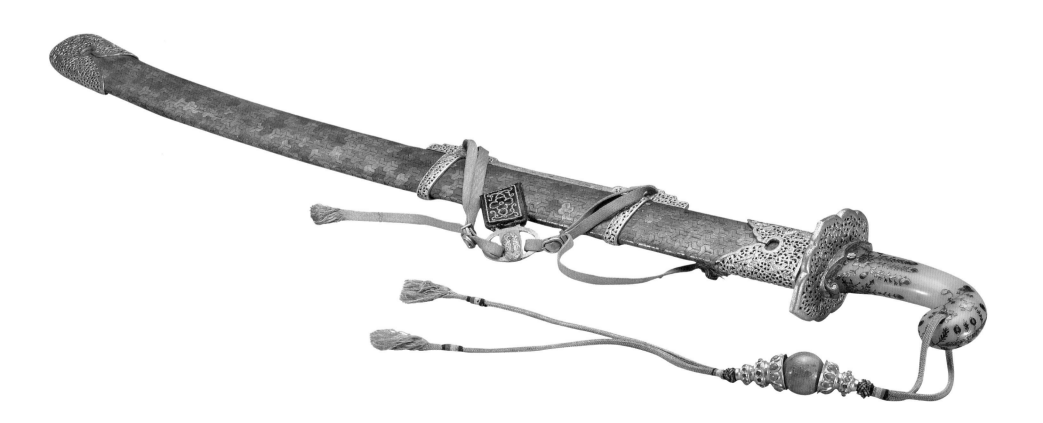

34. 玉嵌花柄錬精腰刀

清乾隆
长 95 厘米

底部一面鋄银横为"天字二十六号"、纵为"錬精"，另一面横为"乾隆年制"款，纵为鋄金、银、铜丝组成的匠人铸刀图。錾以鋄金、银、铜丝构成变形云龙纹。护手为铁镀金如意菱形盘，镂雕夔龙、火珠、云等纹饰。玉柄嵌各色宝石组成花草纹。系明黄丝绦带，饰绿松石珠，两端以铜镀金莲花座固定。

刀鞘木质，饰金桃皮，琫、珌皆铁鋄金镂刻龙纹。横束铁鋄金箍两道，鞘背为铁鋄金提梁，系明黄丝绦带与铜镀金环相属。

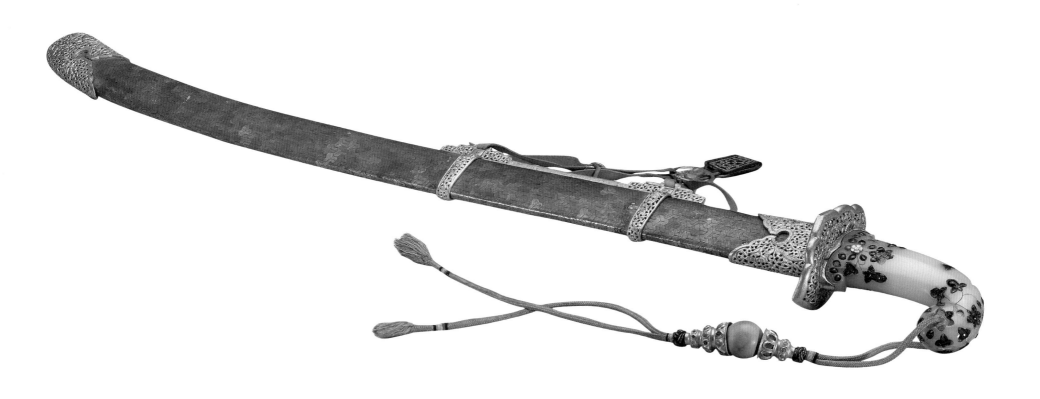

35. 青玉马头柄铺练腰刀

清乾隆
长 95 厘米

底部一面錽银横为"人字十二号"、纵为"铺练",另一面横为"乾隆年制"款,纵为錽金、银、铜丝组成的双人观画图。鐔以錽金、银、铜丝构成变形云龙纹。护手为铁镀金如意菱形盘,镂雕夔龙、火珠、云等纹饰。玉柄雕刻成马首状。系明黄丝绦带,饰绿松石珠,两端以铜镀金饰件固定。

刀鞘木质,饰金桃皮,琫、珌皆铁錽金镂刻龙纹。横束铁錽金箍两道,鞘背为铁錽金提梁,系明黄丝绦带与铜镀金环相属。

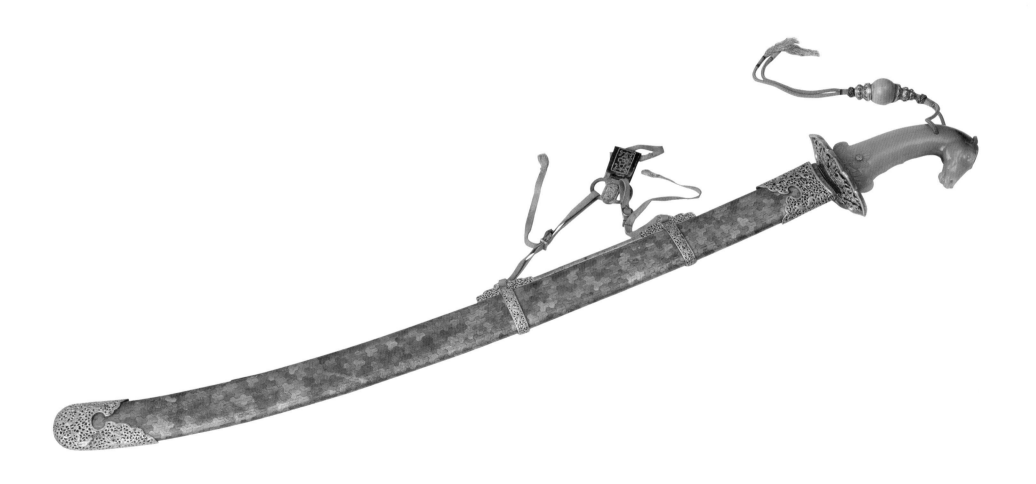

36. 御用神锋吉礼随侍佩剑

<u>清乾隆</u>

<u>长 62 厘米</u>

　　单刃，中起脊三道，背衔金龙。鋈一面铸
"神锋"，另一面铸"乾隆年制"。护手为银盘，
柄木质，蒙白鲨鱼皮，末为银质，圆六棱形。
护手、柄、末皆嵌红珊瑚、绿松石和青金石。
系明黄丝绦带。

　　鞘木质，中蒙绿鲨鱼皮，鞘围以铁錽银叶
包饰，缀錽金花纹及网状花纹。珌、珥皆缀铁
錽银花纹，亦嵌红珊瑚、绿松石和青金石。

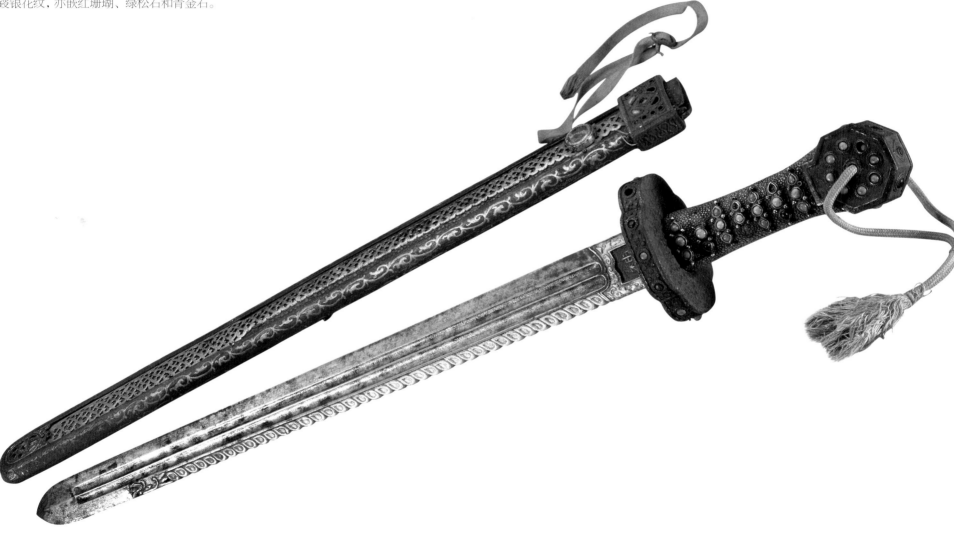

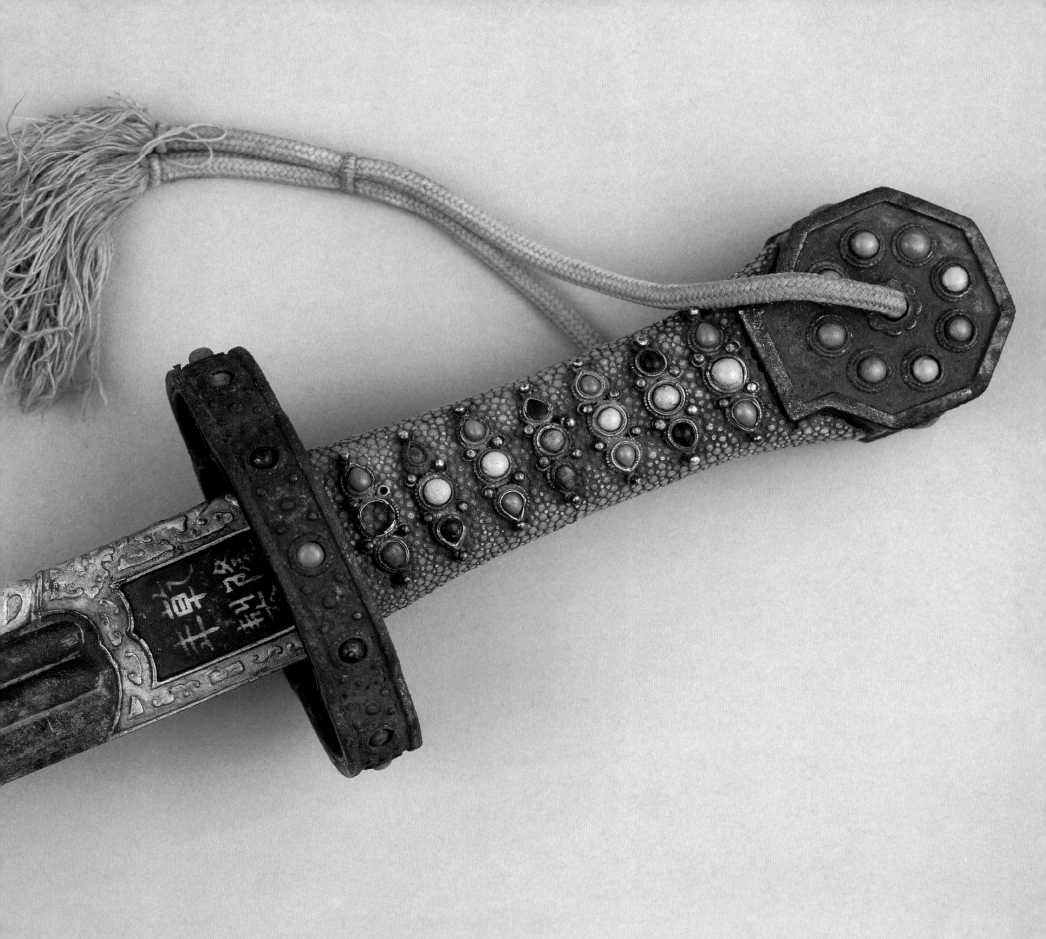

37. 清高宗御用刀刀箱

清乾隆

高 21.5 厘米　长 121 厘米　宽 35 厘米

　　金丝楠木，铜凿花包角，左右两端面置铜提手，承以紫檀须弥座四足雕花箱架。刀箱盖面隶书"湛锷韬精　乾隆丁丑御定　地下"，侧面隶书"莹铓刀一　重二十三两　乾隆年制　柔逊刀一　重二十五两　乾隆年制　章威刀一　重二十四两　乾隆年制　霜明刀一　重二十四两　乾隆年制　寒锋刀一　重二十五两　乾隆年制"。

38. 清高宗御用剑剑箱

清乾隆

高 21.5 厘米　长 121.5 厘米　宽 35 厘米

　　楠木，铜凿花包角，左右两端面置铜提手，承以紫檀须弥座四足雕花箱架。剑箱盖面隶书"神锋握胜　乾隆丁丑御定　地下"，侧面隶书"卫国剑一　重三十两　乾隆年制　象功剑一　重三十一两　乾隆年制　辅德剑一　重三十两　乾隆年制　烛微剑一　重三十两　乾隆年制　霜锷剑一　重三十一两　乾隆年制"。

御用甲冑

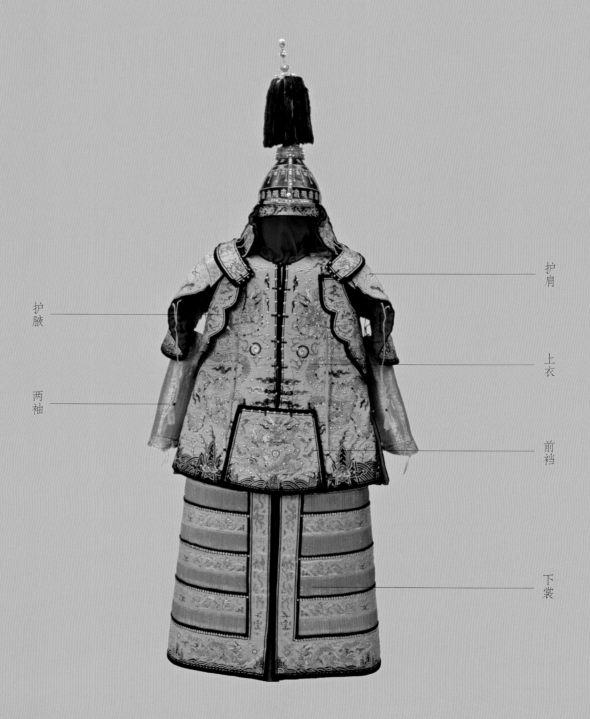

护肩

护腋

上衣

两袖

前裆

下裳

39. 红闪缎面铁叶盔甲

<u>后金（清太祖）</u>

<u>甲长 113 厘米　盔高 28 厘米　直径 22 厘米</u>

甲通体为坎肩式对襟大褂（或曰长袍），绿地红闪缎面饰蕃莲纹，面上均匀布满镀银帽钉，青缎缘。棕色布衬里再缀以精铁片。两袖用窄条铁片连缀而成，使之弯曲伸展自如。袖上部安置扣袢，穿着后与甲肩部相连，解装时可取下单独收存。另有护腋（亦称"遮窝"）一副，铁片夹于闪缎面与棕布里之间。甲与两袖合计重约 107 公斤。

胄，炼铁为之，前后梁、护额等皆铁錽金錾云龙、火珠、缠枝莲纹。护项、护耳与甲一样亦为绿地红闪缎面饰蕃莲纹，鹿皮里，内敷以铁片。胄重约 13 公斤。

随甲有黄木牌，上墨笔楷书"太祖高皇帝红闪缎面盔甲一副，红闪缎面铁盔一顶，石青缎面盔衬帽一顶，金累丝盔璎一个。嵌蚌珠一颗、正珠十八颗、染貂皮二十。红闪缎面甲褂一件，大袖二件，遮窝二件"。

40. 蓝缎面绣龙铁叶盔甲

清前期（清太宗）

上衣长 71 厘米　下裳长 77 厘米

盔高 30 厘米　直径 22 厘米

　　甲分上衣和下裳，宝石蓝云缎面。衣前后绣五彩云龙各一，内敷铁片、护腋、前裆（亦称前遮缝）、左裆（亦称左遮缝）均彩绣火珠，周身彩绣法轮、法螺、宝伞、白盖、莲花、宝瓶（罐）、金鱼、盘长（肠）等八吉祥物（亦称八宝）。两袖以细窄铁叶缀连而成，着装后用绳扣与甲系紧。裳，又曰裙，分左右两肩缎面，以镀银铜帽钉和彩绣八宝相隔，列明铁叶五重，每重 38 片，左右总计 380 片，甲与两袖总计约 107 公斤。

　　胄，炼铁为之，顶盘、前后梁、护额等处錽金云龙纹，其前梁正中有镂空金龙圆征。护项、护耳、护颈为宝蓝云缎面绣五彩火焰，黄鹿皮里，青缎缘，内俱敷铁叶片。约重 15 公斤。

　　随甲有黄木牌，上墨笔楷书 "太宗文皇帝绣蓝缎面盔甲一副，绣蓝缎面铁盔一顶，石青缎面盔衬帽一顶，金累丝盔璎一个。嵌蚌珠一颗、正珠十八颗、染貂皮二十。绣蓝缎面甲褂一件，大荷包一件，小荷包一件，遮窝二件，大袖二件，明裙一件"。

41. 锁子锦盔甲

清顺治

上衣长 73 厘米　下裳长 71 厘米

盔高 33 厘米　直径 22 厘米

甲分别由上衣、下裳、左右护肩、左右护腋、两袖、前裆、左裆等十部分组成，均蓝地月白锁子锦面、石青缎缘、面佈铜镀金帽钉、月白绸里、内敷丝棉。上衣前胸悬护心镜，镜周镂金云龙纹。护肩接衣处有镀金云龙纹铜叶各 12 片，饰以珊瑚珠、青金石、绿松石等。披于身后者各横镀金云铁叶。两袖以数百条精铁片索联，袖口铜镀金云龙纹各四，嵌珊瑚珠、珍珠、青金石、绿松石等。下裳分左右两幅，腰以布相连，每幅各列明铁片六重。

胄，炼铁为之，镂龙镀金缨管，管末承云叶镂梵文蕃草，圆座、前后梁、护额等俱镂空錽金龙或蔓草，分别饰以绿松石、青金石、珊瑚珠、螺钿等。护项、护耳、护颈质地与甲同，护耳处镂刻升龙金圆花，以为纳音和装饰。

随甲有黄木牌，上墨笔楷书"世祖章皇帝嵌珊瑚珠石红铜镀金月白锦缎面棉盔甲一副，嵌珊瑚珠石铜镀金铁盔一顶，石青缎面盔衬帽一顶，金累丝盔瓔一个。嵌珍珠一颗、东珠十八颗、染貂皮三十，甲褂一件，大荷包二件，遮窝二件，护肩二件，嵌珊瑚假珠石明裙一件、明袖二件，嵌珊瑚假珠石护心镜一个，嵌珊瑚假珠石镀金玲珑腰刀一口"。

42. 明黄缎绣平金龙云纹大阅甲

清康熙

上衣长 75.5 厘米　下裳长 71 厘米

盔通高 33.5 厘米　直径 22 厘米

　　甲上衣明黄缎、青缎缘，内衬蓝绸里，敷
薄丝棉，面满绣五彩云纹，正面平金绣升龙纹
左右对称。下摆彩绣海水江崖纹、八宝平水
纹。镀金帽钉均匀地布于甲上，衣背正龙双目
圆睁，护肩、护腋、前裆、左裆正龙各一，彩
云、火焰相间缭绕。两袖以金丝条编联而成，
黄丝条系之，袖口月白缎绣金龙。裳左右两
幅，黄缎地，黑绒镶边，形或图案一致，各一
排金叶片，一排金帽钉，一排缎绣龙，凡五重，
金缎分明、排列有序，大小戏珠行龙共 28 条，
下摆彩绣海水江崖纹。

　　胄，以上等牛皮制成，外髹黑漆，顶镂雕
金龙盖嵌珍珠，前后梁鋄金云龙饰珍珠。胄饰
镀金梵文三重，间以垂直金璎珞。胄上植缨管，
顶端金累丝升龙托东珠，小珍珠密布其上，四
周垂黑貂皮璎穗 24 条。护项、护耳、护颈用料、
图案与甲一致。

43. 织金缎卍字铜钉棉甲

清乾隆

上衣长 67 厘米　下摆长 96 厘米

盔通高 35 厘米　直径 23 厘米

棉甲上衣下裳式，由上衣、下裳、前坎、左右护肩、左右护腋、前遮缝、左遮缝九部分组成，通体织金缎地上饰卍字纹，遍布镀金铜钉，边镶蓝绒，有方形镀金饰物。护肩、护腋、袖镀金雕龙为饰，胸部悬护心镜。

胄，外髹漆，沿镀金雕花。盔前后纵向梁一。沿上方镀金梵文一重，再上方前后梁之间饰金璎珞。璎珞管为金镂空龙纹，上接升龙两条，嵌珠，四周垂貂皮盔缨。

44. 皇帝大阅盔甲

清乾隆

上衣长 76 厘米　　下摆宽 74 厘米

下裳长 71 厘米　　下摆宽 57 厘米

盔通高 31.5 厘米　　直径 21 厘米

　　甲上衣明黄缎、青缎缘，内衬蓝绸里，敷薄丝棉，面满绣彩云纹，正面平金绣龙纹左右对称。下摆彩绣海水江崖纹。镀金帽钉规则地布于甲上，两袖以金丝条编联而成，黄丝条系之，袖口月白缎绣金龙。裳左右两幅，裳面以金叶片、金帽钉、彩绣龙戏珠纹相间排列，下摆彩绣海水江崖纹。

　　胄，牛皮胎髹黑漆，顶镂雕金龙盖嵌珍珠，前后梁錽金云龙饰珍珠，梁中饰金刚石螣蛇。胄饰镀金梵文三重计 44 字，间饰金璎珞纹。胄上植缨管，顶端金累丝升龙托大东珠，缨管饰金蟠龙纹，四周垂大红片金黑貂缨 24 条。

御用鸟枪

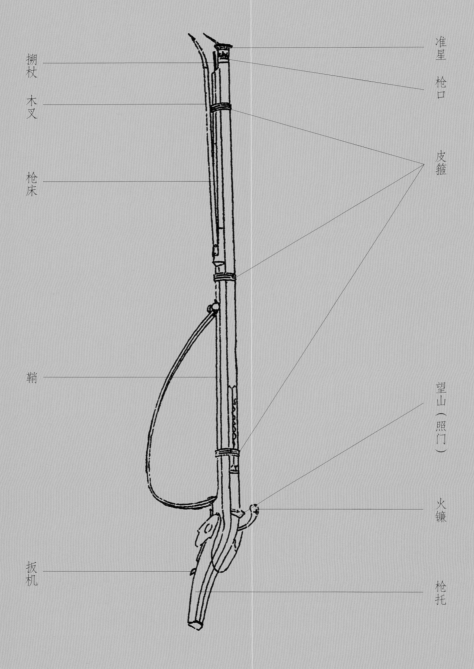

准星
枪口

皮箍

掤杖
木叉

枪床

望山（照门）

鞘

火镰

枪托

扳机

45. 清圣祖御制禽枪

清康熙

长 157.3 厘米　内径 1.4 厘米

　　枪管铁质，前起脊，中四棱，后圆，上镀金篆文"御制禽枪"。枪口镀金莲瓣，下附木捅杖一根。枪近火处镀金双螭环绕，孔处饰象牙。枪床为高丽木，床下加木叉，叉尖饰角。枪体以四道皮箍加固。枪尾饰玉托，上镌汉文"御制禽枪　枪重六斤　枪长三尺五寸　药二钱子三钱四分"。附木牌一个，字同玉托。

46. 清圣祖御用素铁莲花口交枪

清康熙

长 124.5 厘米　内径 0.8 厘米

　　枪管铁质，前起脊、中四棱、后圆，在中四棱后饰鋄金环两道。枪口饰鋄金蕉叶纹，下附木捅杖一根。近火门处饰鋄金蟠螭纹，素铁火机衔火石，侧施鋄金镂花转轮击石发枪。枪床为乌拉松木，床下加木叉，叉尖饰羚羊角。枪体以三道皮箍加固。枪尾饰玉托镌汉文"自来火小枪　重二斤十二两　长二尺四寸九分　受药七分　铁子一钱"。

47. 清圣祖御用炮枪

清康熙

长 219 厘米　内径 2.4 厘米

　　枪管铁质，带准星、望山。中部铸双耳，枪机处有火绳装置。枪床木质。附皮签，墨书满汉文"圣祖仁皇帝御用炮枪一杆　康熙三十七年恭贮"。

48. 清世宗御用火绳枪

清雍正

长 160.5 厘米　内径 1.2 厘米

枪管铁质、前起脊、中四棱、后圆、带准星、望山，枪口饰蕉叶纹，下附木搠杖一根。枪床为虎斑木，床下加木叉，枪体以三道皮箍加固。附黄纸签墨书"武字一百六十八号　世宗宪（残）"。枪托饰牛角，镌字"药二钱　子二钱　重四斤十四两　鞘重二斤六两　共重七斤四两"。

49. 清世宗御用桦木鞘花交枪

清雍正

长 157.5 厘米　内径 1.3 厘米

枪管铁质，前起脊，中四棱，后圆，带准星、望山，枪口饰镀金蕉叶纹，下附木搠杖一根。枪床为桦木，下加木叉，叉尖饰角。枪体以三道皮箍加固。枪近火门处饰象牙。枪托饰牛角。

附皮签，字迹斑驳。枪身贴白条，墨书"世宗宪皇帝御用（残）"。附木牌，正面墨书"世宗宪皇帝桦木鞘花交枪　长三尺五寸　子重三钱四分　药二钱"。背面墨书"枪重四斤四两鞘重一斤十四两　共重六斤二两"。

50. 清高宗御用奇准神枪

清乾隆

长 203 厘米　内径 1.7 厘米

　　枪管铁质，带准星、望山。枪口饰镀金
蕉叶纹、回纹，下附挪杖一根。枪床为云楸木，
下加桦木叉，叉尖饰角。枪体以四道皮箍加固。
枪托镶玉镌汉文"奇准神枪　长四尺五寸　重
九斤二两　药二钱　子五钱"。

51. 清高宗御用纯正神枪

清乾隆

长 192.1 厘米　内径 1.4 厘米

　　枪管铁质，前起脊，中四棱上錽金楷书"大
清乾隆年制"，周围环錽金卷草纹，后圆，带准
星、望山，枪口饰镀金蕉叶纹，下附挪杖一根。
枪床为云楸木，下加桦木叉，叉尖饰角。枪体
以四道皮箍加固。枪近火门孔处饰象牙。枪
托镶玉镌汉文"纯正神枪　长四尺五寸　重九
斤二两　药二钱　子五钱"。

52. 清高宗御用连中枪

清乾隆
长 189.5 厘米　内径 1.5 厘米

　　枪管铁质，前起脊，中四棱上鋄金楷书"大清乾隆年制"，周围环鋄金卷草纹，后圆，带准星、望山。枪口饰镀金蕉叶纹，下附搠杖一根。枪床为云楸木，下加桦木叉，叉尖饰角。枪体以四道皮箍加固。枪近火门孔处饰象牙。枪托镶玉镌汉文"连中枪　长四尺四寸　重八斤十三两　药重二钱　子重四钱五分"。

53. 清高宗御用应手枪

清乾隆

长 189 厘米　内径 1.5 厘米

　　枪管铁质，前起脊，中四棱，通体镀金，饰錽金蕉叶和夔龙纹，带准星、望山，枪口饰镀金蕉叶纹，下附捅杖一根。枪床为高丽木，下加木叉，叉尖饰角。枪体以两道皮箍加固。枪托镶玉镳汉文"应手枪　长四尺五寸　重十斤二钱　药重一钱　子重五钱"。

54. 清高宗御用威捷枪

清乾隆

长 189.5 厘米　内径 1.5 厘米

　　枪管铁质，前起脊，中四棱上錽金文字"大清乾隆年制"，四周环錽金卷草纹，后圆，带准星、望山。枪口饰镀金蕉叶纹，下附捅杖一根。枪床为高丽木，下加木叉，叉尖饰角。枪体以四道皮箍加固。枪托镶玉镳汉文"威捷枪　长四尺五寸　重九斤十三两　药重二钱　子重四钱五分"。

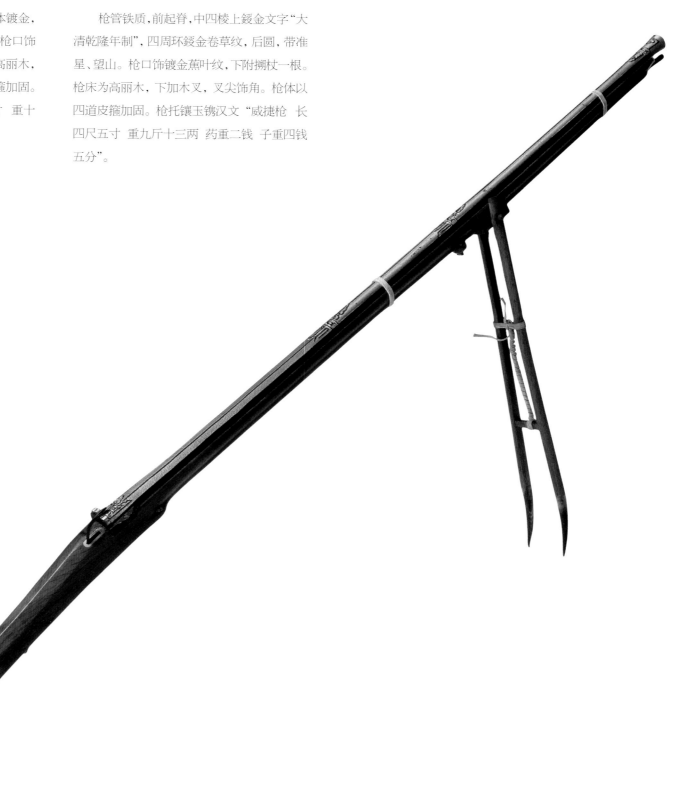

55. 清高宗御用威赫枪

清乾隆

长 192.8 厘米　内径 1.5 厘米

　　枪管铁质，前起脊，中四棱上镀金文字"大清乾隆年制"，周围环镀金卷草纹，带准星、望山。枪口饰镀金蕉叶纹，下附搠杖一根。枪床为高丽木，下加木叉，叉尖饰角。枪体以四道皮箍加固。枪托镶玉镌汉文"威赫枪　长四尺五寸　重十斤二两　药二钱　子五钱"。

56. 清高宗御用铁花线枪

清乾隆

长 189.5 厘米　内径 1 厘米

　　枪管铁质，枪床木质，髹红漆洒金，火机一侧、扳机、枪托底部饰铜饰件。枪体以两道皮箍加固。附皮签，墨书满汉文"高宗纯皇帝御用　紫□□枪一杆　乾隆十九年恭贮"。

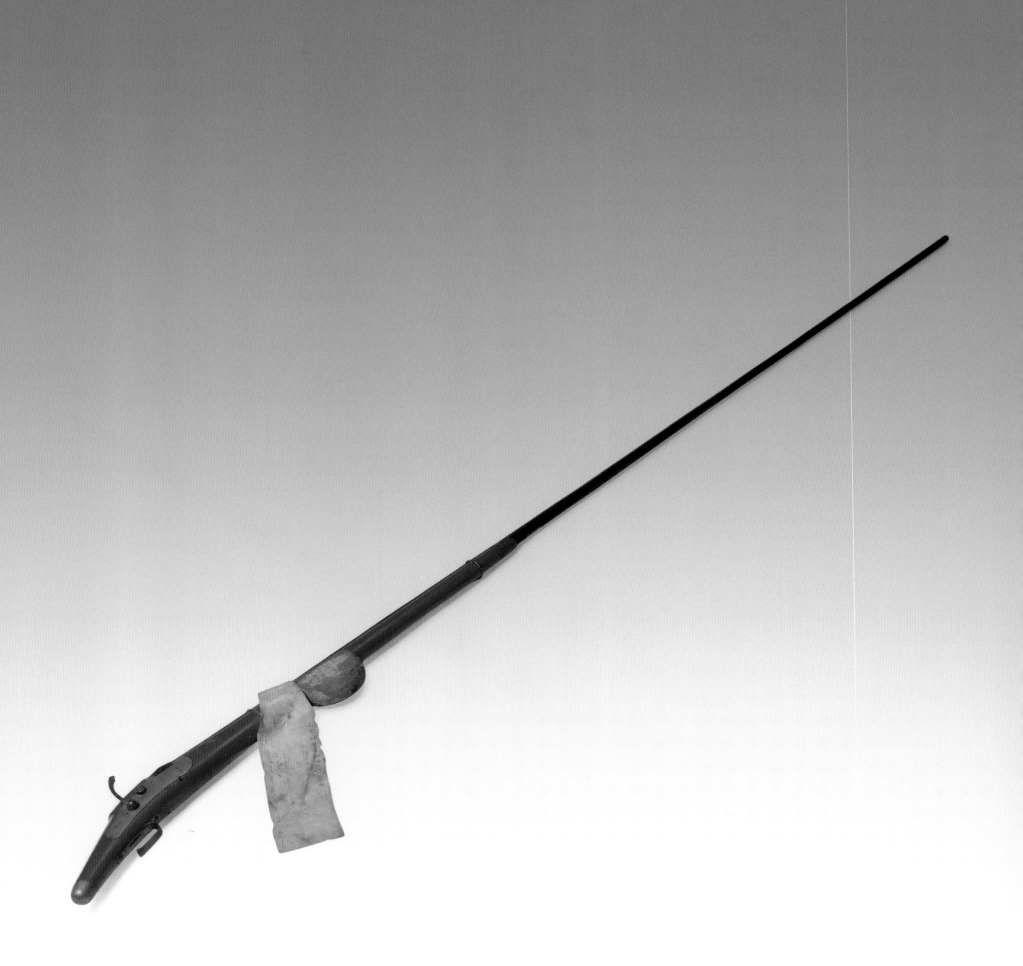

57. 清仁宗御用火枪

清嘉庆

长 131 厘米　内径 1.2 厘米

　　枪管铁质，带准星、望山。枪口下附搠
杖一根。枪床为高丽木，上镶嵌象牙梅花两朵，
枪体以四道皮箍加固。枪托上下用犀角嵌饰，
犀角上嵌象牙梅花 13 朵。枪托一侧嵌银丝"嘉
庆御用"，金丝"之宝"印。另嵌银丝御制诗
一首："西林耀朱霭　寻鹿步兰皋　择牡寓除暴
发机即中膏　坚刚允神器　星斗晰秋毫　审度辨
迟速　几余偶习劳　壬戌秋八月御题"。下接嵌
金丝"嘉"、"庆"印。

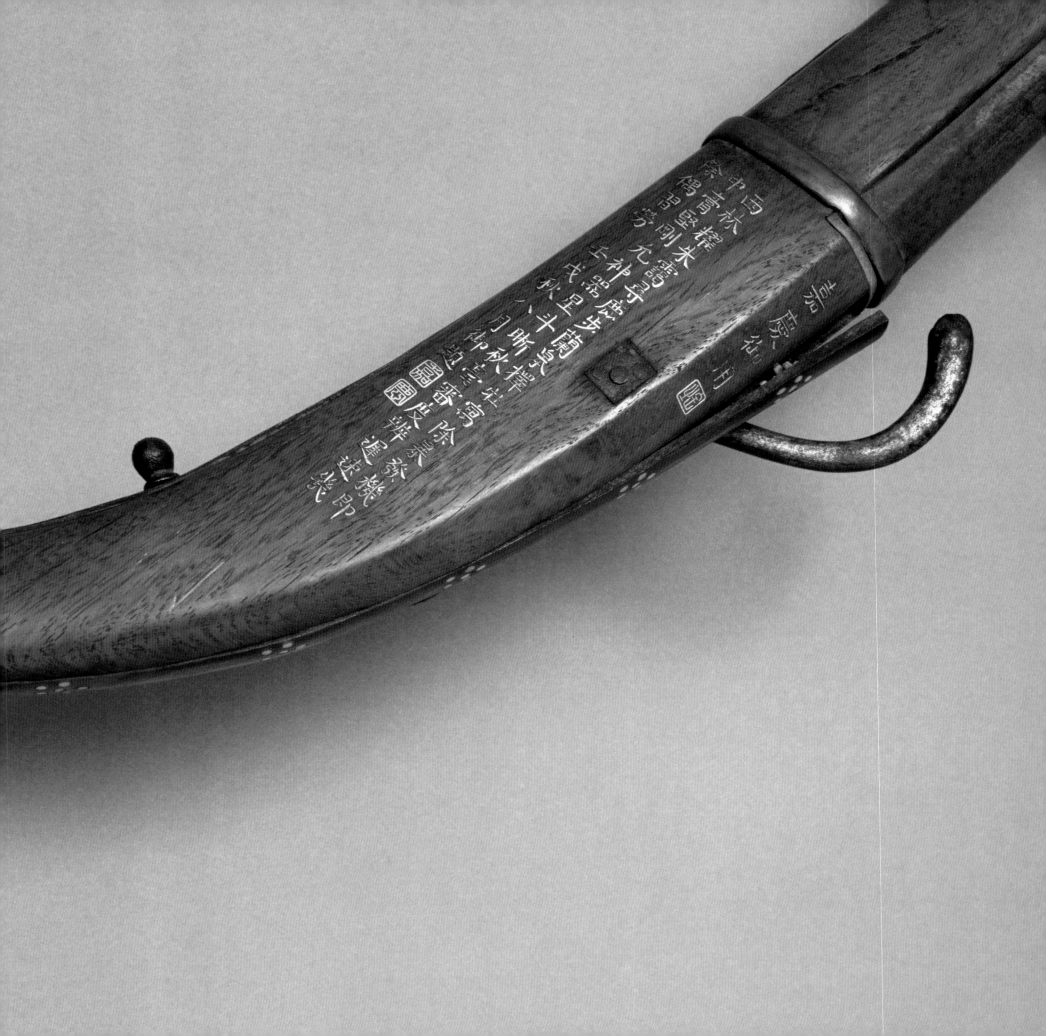

58. 清仁宗御用蒙古花小交枪

清嘉庆

长 158 厘米　内径 1.3 厘米

　　枪管铁质，镀金花卉、卷草、蕉叶等纹饰，前起脊，后圆。枪管带准星、望山。下附搠杖一根。枪床为高丽木，下加木叉，叉尖饰角。枪体以三道皮箍加固。枪托镶玉镌汉字"蒙古花小交枪　长三尺五寸四分　重七斤八两　药重二钱　子重三钱三分"。

　　附皮签，满汉文墨书"仁宗睿皇帝御用蒙古花小交枪一杆　嘉庆二十三年恭贮"。象牙牌一面，书满汉文，一面书汉文"蒙古花小交枪　重七斤八两　长三尺五寸　药二钱　子三钱三分"。

59. 清人画弘历击鹿图

清嘉庆

纵 259 厘米　横 172 厘米

　　此图描绘围猎时，乾隆皇帝以火枪射鹿的情景。

冷兵器

所谓冷兵器，即指不需要施放火药，用于斩击、刺杀、砍劈的武器，其功能主要是以近战杀伤为主。按其质地，可分为木、角、革、骨、铜、铁等，按其用途可分为政治、礼仪、军事、娱乐等，从实战意义上还可分进攻性兵器和防护装具等等。

远古时代，武器和劳动工具是分不开的，如带有锋利边缘的石块和棍棒等，既是生活、生产、打猎、捕鱼的工具，又是格斗、防身和战争的武器。新石器时代，"黄帝以玉为兵"，出现了精心打磨的玉、石兵器。原始社会晚期，武器的生产和加工技术进一步提高。夏商周三代，是中国军事战争史上盛况空前的车战时代，频繁的战争促进了冶炼、加工和制造技术的发展，青铜兵器的生产达到了顶峰。商代的兽面纹钺，夔纹柄戈、矛、大刀以及吴王戈、越王剑等都是青铜兵器的代表作。自汉代以后，铁兵器逐渐取代了铜兵器。根据实战的要求，不断淘汰、创造和发明了一些新的兵器品种。宋以后，大量使用火器，但冷兵器历经元、明、清，仍以它特有的优势向前发展。

长兵器与短兵器

古代兵器的长短没有严格的统一标准，一般以为等身或超身而又为双手操持的兵刃为长兵器，反之则是短兵器。

一、长兵器

长枪由于形制简单，使用灵便，所以一直作为清八旗军和绿营兵的常备兵器。枪刃均为铁制，或有錽金、镀金银花纹。以木、竹为柄髹朱漆，柄末镶铁鐏，以护枪柄或激战时反刺，有些还系有红、黑旄。特别值得一提的是"攒竹"柄，这种柄并非人们想象的竹竿，而是将竹破开，剖成平面，然后将四、五片攒粘在一起，削圆缠麻髹漆，使之挺直而具强韧度，不易折断或破裂。

清代长枪的种类较多，乾隆二十一年（1756年）改制后，在《清会典图·武备》上尚定有16种：健锐营、护军营、骁骑营、绿营用的长枪，专为绿营军用的钩镰枪、蛇镰枪、十字镰枪、雁翎枪、虎牙枪、火焰枪、钉枪以及矛和戟。

阿虎枪，省称虎枪，清代所特有，专为虎枪营使用，枪刃錽金花纹及"大清乾隆年制"字样。皇帝每年秋狝围猎，虎枪营持枪随扈，并以刺杀虎、熊、狼等兽。虎枪还有一特点，即在刃柄结合部，用皮条缠绕数道，拴系两鹿角，其作用主要为刺杀野兽时，不至于刺得太深而抽拔困难。

镗叉类兵器，为多刃兵器，明代茅元仪《武备志》载："此器自有倭时始用，在闽、粤、川、贵、云、湖皆旧有之，而制不同，乃军中最利者……而惟此一品可击可御，兼矛盾两用。"有直刃、横刃，可刺可勾、可劈可挡，享有进攻和防卫两种功能，多为清绿营军使用，是骑兵和战船使用之利器。清制有马叉、五齿镗、凤翅镗、月牙钯、通天钯等。另外，三须钩、铁挽也属此类。清末有一种传说：中国人见了官员和皇帝都要下跪，而洋人则无此礼俗，故认为他们的膝盖不会打弯。于是就有人向慈禧太后建议，同洋人打仗时，要中国兵士装备长柄钩，只要将洋人钩倒，再站起不易，则胜矣。清廷果然采纳此议，结果败得更可怜、更悲惨。这个笑话不是没有可能，当年就有个官员，因见士兵操持火枪射击不稳，居然向嘉庆皇帝建议将火枪上的瞄准具（准星、照门）去掉，简直荒谬之极。这件事是堂堂正正写在《大清会典》上的，之所以如此，无非是想说明皇帝如何英明，如何制止了这种愚蠢行为并制裁了该名领兵的官吏，但这也暴露了清代部分掌权者的无知和可笑。

长柄大刀，清军中已不多用，只有藤牌营用的挑刀和绿营用的片刀、割刀几种。武科考试用的金龙偃月刀，按重量不同，分有三种。

"骑射、舞刀，乃满洲长技"，清晚期光绪朝《会典》，仍在津津有味地谈论着冷兵器的高妙，殊不知此时列强的火器已轰开京畿城池，大清政府的所谓"长技"，也早该束之高阁了。

二、短兵器

短兵之腰刀，向为兵家所重视，明将戚继光在《练兵实纪杂集》"腰刀解"中精辟地阐明了腰刀制作的关键技术：

> 腰刀造法，铁要多练炼，刃用纯钢，自背起用平铲平削，至刃平磨无肩，乃利，妙尤在尖。近时匠役将刃打厚，不肯用工平磨，止（只）用侧锉，将刃横出其芒，两下有肩，砍入不深，刃芒一秃，即为顽铁矣，此当辨之。

清代腰刀的品种、式样不断翻新，质量、工艺精益求精，进入了一个繁荣发展时期。

匕首，古代也叫短剑，作为防身自卫之利器，古来行刺者也多使用匕首。清代匕首灵巧别致、造型美观、装饰华丽，百十把中几乎不见有重样，件件堪称艺术珍品。刃有单刃、双刃、弯刃、曲刃、宽刃、窄刃，五花八门；柄和鞘更是丰富多彩，象牙、骨角、金银、珠宝，争奇斗妍。用青玉、白玉、墨玉以及痕都斯坦玉雕刻并镶嵌红宝石作柄的匕首更是美不胜收。皇帝玩赏之余，有时也赐给王公大臣。据传，皇帝常将匕首置于床边枕旁或随身携带，以防不测。但在皇宫大内，暗杀行刺也并非易事。不过嘉庆年间，平民陈德刺杀皇帝一案，倒有可能引起紫禁城主人身藏匕首以防卫护身的特别重视。

嘉庆八年（1803年）闰二月二十日，仁宗（颙琰）回宫，发生了一起震撼整个朝廷的大事。是日，内务府厨役陈德身藏匕首，从东安门进入皇城，又混入东华门来到紫禁城，穿过牌楼门和西夹道，最后行至神武门与顺贞门之间，隐蔽在迎驾队伍中，待仁宗乘轿将进顺贞门时，陈德突然闯过禁军，持匕趋前行刺，接连扎伤定亲王绵恩和御前侍卫丹巴多尔济，后终因寡不敌众而被缚获。当时几百护驾王公大臣和禁军官兵，都被这一突发事件惊呆而束手无策，只有绵恩、丹巴多尔济等人奋力救驾。

嘉庆皇帝恼羞成怒，为此上至亲王、副都御史、副都统、御前侍卫、护军统领；下至护军章京、护军校、八旗护军等多达百人均受到革职、罚俸、坐监、枷示、鞭责、发配等不同程度的惩处。对陈德本人，当即由军机大臣会同刑部严加审讯。次日又添派满汉大学士、六部尚书、九卿科道共同参审。连日熬讯并施以拧耳、跪链、掌嘴、刑夹和压杠等重刑，终未审出结果。嘉庆皇帝无奈，只好自我宽慰了一番。到了第四天，平民陈德以"谋反及大逆"罪惨遭凌迟。其长子禄儿年仅15岁，次子对儿刚满13岁，都未及"成丁"之年。但清廷以为此案关系重大，为斩草除根，破例"即照年已及岁律，一并骈斩"，嘉庆还发了善心："其子……究系童稚，均着即处绞。"戒备森严的皇宫何以发生此事，后来嘉庆皇帝解释或总结说："风化不行，必有失德，始有此惊予之事。"（《掌故丛编》）

杂兵与马装具

一、杂兵

所谓杂兵，也就是刀枪剑戟以外的杂式短兵器，主要用于近战的击打、砍砸，它们形制别样，使用灵活，携带方便，武艺娴熟高强之人，往往在混战中出奇制胜。种类有鞭、锏、枷棒、虎头钩以及锤和斧等，质地有铜制、铁制之分，使用有双件、单件之别。杂兵多承前代或源于民间，皇家御林军和八旗军基本不用，绿营中个别备有。但皇帝猎奇，总要挑点精品供玩赏，心血来潮，一经修饰鋄金，就变成了别人不能使用的御用品了。

二、马装具

古代骑兵为保护和控制战马所使用的装具。

一类是辕马和乘马本身的防护装具，主要是保护马匹免受或少受伤害，不影响或少影响到战争的胜负，以皮革为主，加上圆钉增强防护功能，再髹漆装饰，后来发展到铁装铠甲，包裹马匹全身。随着战争的演变、武器的发展，明代以后的战马一般不再披装这种笨重的马甲，专门重装的马铠甲随之被淘汰。

马装具的另一类就是马鞍、鞦辔、马镫等物。马鞍、马镫的发明和使用，对整个战争和战术的发展起过革命性的影响，尤其是马镫的发明和使用，使骑兵和战马很好地结合在一起，控制坐骑的能力更加简单、容易，冲击、搏

杀的本事更加自如、稳定，充分发挥乘者使用各种兵器的效能。这种鞍、镫及鞦辔的组合，随着朝代、民族和用场不同，呈现出不同的特色与风格。

中国是马鞍、马镫发明最早的国家，据考古数据显示，在西汉时就已经开始使用马鞍，鞍有前鞍桥和后鞍桥，这一点很重要，可使乘者安全、舒适、稳定；鞍与马背之间，放置一块较厚的毛毡垫（即鞴，或曰鞯），这样就使得马匹本身不致被马鞍磨伤。考古资料还表明中国西晋时开始出现马镫，开创了人类战争史上的新篇章。

清代皇宫大内专门设有"鞍鞴库"和"北鞍库"，用以存放历朝皇帝御用马鞍以及全国各地进贡的马鞍。御用马鞍同其他军事装备相比，实用性更强，其高矮、宽窄，一要适合于马，二要适合于人，然后才是装饰，镏金镶银，镶嵌玉石、珊瑚、珐琅。清世祖章皇帝（顺治）御用马鞍做工精细，装饰华贵，颇具特色，银镂花鋄金，前后嵌东珠3、大珍珠2000、米珠30000余颗，大红珊瑚250、小红珊瑚10000余颗，分别组成优美的图案，完全是件极其罕见珍贵的艺术珍品。清中期还于前鞍桥处镶嵌圆形钟表，与其说增加了计时功能，还不如说更加讲究装饰，以显尊贵。

清代马鞍也是一种礼仪用品，《清会典事例》规定，国家庆典日及御朝服用：

鋄金龙饰豹尾鞦辔鞍十具，鋄金龙饰黑马鞦辔鞍十

具，其余鞍辔均无定额，每鞍各备鞍笼一。

官鞍，凡漆鞍三十具，棕鞦辔一百五十具，传事鞍五具，擎盖用绣水鞴鞍十具，预备坐鞍五百四十具，铜饰鞦辔鞍四十具，载衣包鞍二具，载书鞍一具，载茶鞍三具，载炮鞍五具，载伞盖鞍五具，备驮载鞍一百九十六具。

凡御殿、躬祀坛庙，卤簿仗兵，饰嵌珊瑚青金石，绿松石錽金雕龙鞦辔、绣龙黄缎鞴全鞍十具，夏秋用茜红牦牛尾繁缨绣龙缎鞴，春冬用石青狐尾繁缨江獭皮缘豹皮鞴。

皇室成员和其他王公、亲王一级授以黄辔，郡王、贝勒、贝子等授以紫辔。可见马装具又有爵位等级之分，是身份地位的象征。皇子每位乘用小鞍各二具，大鞍各四具。

清宫还藏有一种马鞍，彩漆红喜字，这种鞍，恐怕与马匹、战争就无缘了，这种鞍，依当时的风俗，是取平平安安之"安"的意思，当用在皇帝大婚坤宁宫入洞房的仪式中。

这里还需要特别指出的是"载炮鞍"，古代战争中专门用于驮载轻型火炮的鞍，它形质粗劣，无任何装饰，但作用却非同小可。清军长途跋涉，远方作战，重型武器如大炮，一是用马拉，一是用驮载。乾隆二十年至乾隆二十六年（1755年~1761年）间，平定准噶尔达瓦齐和新疆维吾尔部大小和卓木叛乱，凭借着鞍载炮的强大火力清军得以凯旋。这一恢宏的战争场面和骆驼承鞍载炮用于战阵的实况，被郎世宁、王致诚、艾启蒙和安德义等在清宫供职的西洋画家，用画笔较为真实地纪录了下来，总冠名《平定西域战图册》，随后送到法国巴黎，刻制印刷成铜版画于乾隆三十八年（1773年）送回中国。《战图》共十六幅，其中"黑水围解"、"呼尔满大捷"和"阿尔楚之战"，均详细地描绘出清军炮兵列阵、驼驮火炮与敌军对阵和实战的情景。

弓箭与鬓鞭

远射兵器，主要包括投枪、飞镖、飞石索、抛石机、弓、箭、弩等。对古代战争中相对远距离的杀伤，曾起到重要的作用，由于火枪、火炮的出现，这类兵器逐渐退出战争舞台或处于次要地位，唯有弓箭一项，一直长盛不衰。

弓箭，是中国乃至全世界历史上最古老、最重要，同时也是使用时间最长的一种弹射兵器。到明清火器时代，弓箭因其携带和使用轻便、发射速度快捷、命中精度高、稳等诸多优势仍备受青睐。

清代之满族，发起于白山黑水之间，初以狩猎和采集为生，骑马和射箭成为满族社会每一个男子日常生活中不可缺少的部分。多年的游牧、狩猎习性，使他们个个能骑善射惯于征战。清王朝以"弓矢定天下"，遂视"骑射"为祖制家法，特别强调"后世一不遵守，以讫于亡"。"今不亲骑射，惟耽宴乐，则武备寝弛，朕每出猎，冀不忘骑射，勤练士卒。诸王贝勒务转相告诫，使后世无变祖宗之制"

（《清史稿·太宗本纪二》）。

顺治皇帝入主中原，明示天下："我朝原以武功开国，历年征讨不臣，所至克捷，皆资骑射，今仰荷天庥，得成大业。虽天下一统，勿以太平而忘武备，尚其益习弓马，务造精良。"（《清实录》卷48）康熙皇帝经历了几次大的战乱，更把骑射列为基本国策，加强了关于这方面的活动和训练，除他自幼练就一身极好武艺外，在每年殿试武进士，召集上三旗大臣侍卫紫光阁较射等活动中，严肃认真，优胜者赏物赐牌，并充任御前待卫。雍正皇帝执政期仅十三年，虽无出猎等诸多宏举，但却十分肯定地在《庭训格言》中说："自古以来，各种兵器能如我朝之弓矢者，断未之有也。"并将后来在大阅时兵丁呐喊前进，改为射箭前进，"于骑射俱可娴习"。

乾隆时，国家承平日久，八旗子弟疏于骑射，而且在不断的汉化冲撞中，满族习俗亦渐淡漠，乾隆帝有鉴于此，分别勒石树碑立于紫禁城箭亭和中南海紫光阁以及侍卫教场、八旗操练教场等处，它们的作用和功绩完全可以和顺治帝为遏制太监权势所立铁牌相提并论，碑文简洁、深刻、准确地概括了清代立国治国的根本纲领。

为了巩固和加强"骑射"这一国家法典，清政府还制定了诸多"实力奉行"的措施，如进士、举人生员以及翻译科的考试，首先要进行外围测试，是否会骑射，由各旗都统亲自先行考验，严格把关，弓马生疏者，不准应试。如果临场找人代替，则要按律治罪。第一关过后，方可正式报名，考试时，令各旗章京把第二道关，即逐个识认应试人员，准确无误后，进行应试骑射测验，先射步箭，次射马箭，两者合格，再进行应试的具体项目。

清代重武备，武备中又首重弓矢，因此，这类兵器在大内遗存颇丰。

弓的种类，从使用者的身份及用材和装饰、制造工艺上看，大致有三种：一是皇帝牛角弓，桑木胎干；一是王公大臣牛角弓，桦木胎干；一是职官兵丁牛角弓，榆木胎干。丝弦用于教射，皮弦用于战阵。

弓力的强弱，主要视其胎面厚薄、筋胶多少而定。一力至三力，用筋八两，胶五两。四力至六力，用筋十四两，胶七两。七力至九力用筋十八两，胶九两。十力至十二力，用筋一斤十两，胶十两，十三力至十五力，用筋二斤，胶十二两，十六力至十八力，用筋二斤六两，胶十四两。其中十三力至十八力属于强弓。康熙六十一年（1722年）十一月二十日在遗诏中说自己"年力盛时，能弯十五力弓，发十三把箭"，这是完全可能的。

清代的箭，基本上是沿袭旧制，只是在用材和箭镞的形制上有所变化，大体由镞、柯、羽三部分组成。镞质有铁、铁镀金、象牙、角骨、竹、木等；柯即箭杆，多取材于杨木、桦木等不易弯曲变形的轻质之木；羽为三稍旋扭，以保证飞行速度和平稳性，取自现今已十分少见的各种雕、鸾、鹳、雉等猛禽、飞禽之翎。

箭的种类，总的归纳起来可分成这么几类：从用途上，一是礼仪用箭，即不实际使用的佩饰品，如皇帝大阅、大礼、吉礼等；一是教阅、训练、演习用箭，如无镞的圆头、平头和墩子箭等；一是行围狩猎用箭；一是军事战阵用箭，主要为各种梅针箭，还有枪头箭，火燎杆箭等。从形制上，大宗者为两类：第一是骲（响）箭类，镞以木、骨、角为之，镂空穿孔，发则受风而鸣，又谓之响箭。镞上加骨角小哨者曰鸣镝。第二是鈚箭类。

櫜鞬（撒袋），盛装弓箭的套袋。质地有皮革，锦缎等。櫜，亦称箭箙，商代甲骨文写作矢在器中之形，自唐以后多呈长袋状。分为皇帝随侍櫜鞬、皇帝行围櫜鞬、以及平时皇帝用櫜鞬。

乾隆皇帝使用的一批金银丝缎櫜鞬，金银丝缎厚重、结实，又称金宝地，为18世纪较为盛行的织物，它吸收了当时欧洲时髦的一些装饰手法。

清代对弓箭、撒袋的管理也相当严格，早在入关以前的崇德三年（1638年）就定有《军律》："一切军器，自马绊以上，俱书号记……箭无号记者，罚银二十两，如将他人射出之箭，得而隐匿者，亦罚银二十两。"雍正元年（1723年）《军令条约》规定："弓箭、撒袋、皮索一切军器，不加收管，致有遗失并应携带器械擅自离身，八旗兵鞭一百，绿旗兵棍责八十，该管委署，护军校，领催鞭四十，旗管队棍责三十，护军校、骁骑校、千总，把总等插箭。"（《钦定大清会典事例》卷581）

羽箭书记名号，大约是出于以下几种因素：第一，清军兵器有许多是"官给银自制"，需交武备院等处制造，则照例"由该官员兵丁俸饷内扣留"。清政府基本主张"自制"，原因是"较官制更为坚固"，即然是自己的兵器，就要写上自己的名号，以免发生混乱和丢失、易主等现象；第二，两军对垒，以中敌多寡和部位之准确，核对名号，论功行赏，以防虚假、冒领；第三，箭矢消耗极大，射出之箭，还可拣回再用，但必须是拣回自己的箭，绝不能拾取、隐匿"他人射出之箭"。

八旗盔甲

八旗，是清代特有的一种兵民军政合一的社会组织形式，"其制以旗统人，即以旗统兵"。（《清文献通考》卷179）

17世纪初叶，满族首领努尔哈赤在进行一系列统一措施的过程中，为适应战争和统辖日益增多的归附人口的需要，在原有的"牛录"制基础上，进一步改编成"旗"的组织，明万历二十九年（1601年）始设黄、白、红、蓝四旗，以后又增设镶黄、镶白、镶红、镶蓝四旗，以初设四旗为正黄、正白、正红、正蓝，合为八旗，以后称"满洲八旗"。凡满族成员，分隶各旗佐领，平时生产，战时从征。皇太极时，再将降服的蒙古人编为"八旗蒙古"，不久，随着战争的继续和扩大，又先后将归顺的汉人分设"八旗汉军"。清顺治元年（1644年）定鼎北京，留部分八旗武装守卫京城，称"京师八旗"，遂向全国进军，每攻破一座城池，凡占领一处要地，总要派一定数量的旗兵防守，这样也就逐步形成了驻守在全国各省冲要地区的"驻防八旗"，此外清政府还设有护军、前锋、骁骑等营伍，所有这些，共同构成了清代八旗的整体。

八旗的次序是：以镶黄、正黄、正白称上三旗，为皇帝亲军；正红、镶白、镶红、正蓝、镶蓝称下五旗，由诸王、贝勒、贝子等分统。凡官职、兵制、宿卫、扈从等均以上三旗下五旗为序，而行军、搜狩、朝祭、班列、旗籍、界址等，则以镶黄、正白、镶白、正蓝为左翼，正黄、正红、镶红、镶蓝为右翼。

八旗盔甲，作为八旗将士的着装，清初期在形式上大致有两种：一是内敷铁叶称铁盔、铁甲；一是甲外施叶曰明甲。官员用绵缎分三等，纹饰不能用五爪龙，只能用四爪蟒，即一、二品官绣团蟒十五，三至五品绣团蟒十一，六至八品绣团蟒六。士兵用布，八旗马甲甲绣布为表，各如本旗之色。盔甲每幅折给银，雍正时按官员的不同等级和兵丁的不同身份，从二十八两、十七两、十两到七两、三四两之间不等，高低悬殊极大，而且兵丁盔甲成本还有下降的趋势，如顺治时为四两八钱，康熙时则为三两七钱。

乾隆二十一年（1756年），清政府为适应形势需要，对各种典章制度进行改革，盔甲一项，改铁盔为革盔，铁叶甲为棉甲。官员绮（有花纹的丝织品）面绸里，外镶黄铜镀金帽钉。兵丁绸面布里，外镶白铜镀银帽钉。铁

盔、铁甲遂逐步退出历史舞台。大批量改造的棉甲，首先从八旗征员兵丁中开始，"另造不用铁叶、绸面金钉盔甲一万八千副，以备大阅合操之用"。乾隆皇帝强调："此项需用银两，着加恩由内库银两内赏六万五千两制造整齐。"（《钦定大清会典事例》卷1122）

这一万八千副盔甲，就是我们今天所常见的那种八旗盔甲。分黄、白、蓝、红四正旗，而镶黄、镶白、镶蓝旗边缘上各镶红、镶红旗边缘上则镶白，甲由上衣、下裳、护肩、护腋前、左裆组成。绸面各随旗色，蓝布里，内衬丝棉，面上布满铜镀金帽钉，盔用上等牛皮制成，外罩黑漆，盔檐、前后梁及顶盘均铜镀金，顶上植缨。

这批新制作的八旗盔甲，平时由内务府官员负责管理，存放在宫内东华门城楼上，每年逢换季之时，至少整体进行四次晾晒清整，并采取除尘、防虫、除锈、防潮等措施，以妥善保管，毋致损坏。届期，专管王公大臣要严格查验。

八旗甲胄，将士防身护体之军服，有清一代有严格管理制度，早在崇德三年（1638年）清兵入关以前就定有军律：军事盔甲后及甲背，俱书号记，盔耳叶皆用圆铁叶，无盔甲者，衣帽后亦书号记。至今我们在整理八旗盔甲时还发现，在盔之护项，甲之衣背尚发现有墨书八旗兵丁的兵种、姓名，如"炮甲×××"、"马甲×××"、"领催×××"等字样。

盔甲书记名号的作用和意义及其对违反规制的惩罚，

康熙皇帝在军令中讲得很明白：

　　如衣服器械有异，即行擒拿。……对敌列阵时，主将
必度地据险，寇或布野，或结骆驼鹿角为营，我军分列行
阵。指明某队某旗，当击敌阵某处，战时鸣角进兵，毕仍
鸣角收兵。官兵或弃其部伍，混入他人部伍，或轶出本
阵，往附他人尾后，或逡巡观望逗遛不进，照所犯轻重，
正法、籍没、鞭责、革职。(《清实录·圣祖仁皇帝实录》
卷 169)

长兵器与短兵器

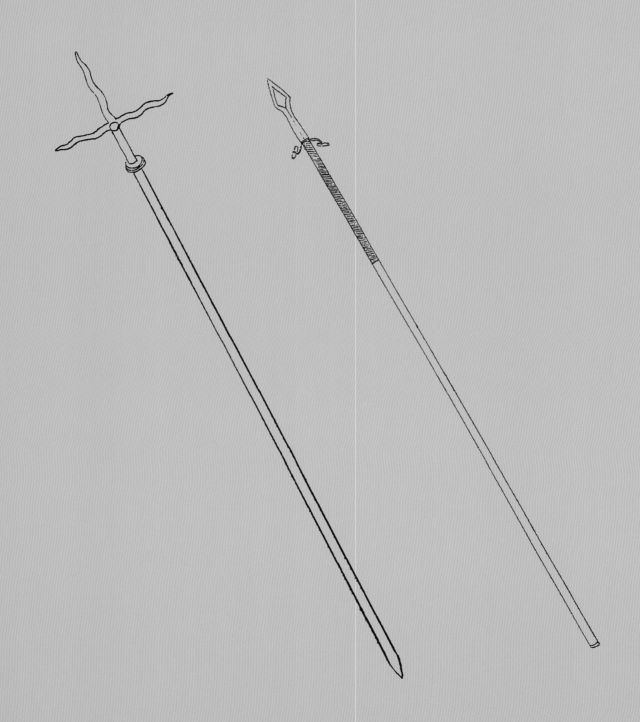

60. 阿虎枪

清乾隆
通长 249 厘米　枪身长 29 厘米

　　枪身铁质，刃前锐后锋，中起脊，带血槽，饰錽金云龙璎穗纹，錽金楷书"大清乾隆年制"。柄木质，头缠黑皮，横系鹿角二。枪头附皮套。

附 清人画弘历刺虎图

清

纵 258.5 厘米　横 171.9 厘米

图上所绘为乾隆皇帝（居中者）与虎枪
营统领手持阿虎枪猎虎的场景。图上阿虎枪
后部无刃，与实物略有不同。

61. 青龙偃月刀

清

长 237 厘米

    铁刀，背为歧刃，双面镀金行龙、火珠纹，通口为铜镀金龙首状，衔刀头。红漆木柄。

62. 镋

清

长 236 厘米

    镋身铁质、木柄，头系红缨，底接铜镀金鐏。

63. 戟

清

长 265 厘米

钢戟，木柄，系红缨，底镶铁镈。

64. 骁骑长枪

清

长 264 厘米

枪身钢质，中起脊，前锐，刃锋。木柄。

65. 巴罕策楞敦多克腰刀

清乾隆

长 100 厘米

钢刀刃锋，前锐。刀柄木质，外蒙黑皮，护手呈十字形，饰铁錽金银花叶纹。

刀鞘木质，外蒙牛皮。瑹、珌饰铁錽金银花叶纹。附鹿皮套，系皮带一根。附皮签，墨书满、蒙、藏、汉文"乾隆二十年十二月厄鲁特台吉达什达瓦之妻遣头人厄齐尔以准噶尔故台吉巴罕策楞敦多克所遗佩刀来献 敕付武库韬以□□□纪其所自 并识岁月"。

此刀的贡奉者为达什达瓦台吉之妻。达什达瓦，藏语意为祥月。达什达瓦是巴罕策楞敦多克之子，巴罕策楞敦多克亦称策零敦多布，史籍多称其为小策零敦多布，他是与大策零敦多布齐名的准噶尔部猛将。达什达瓦死后，阿睦尔撒纳欲吞并其部落，对达什达瓦夫人威逼、利诱。达什达瓦夫人力排众议，于乾隆二十年（1755 年）九月，率部众投归清中央政府。乾隆皇帝闻知达什达瓦部归清的消息后异常兴奋，多次传旨褒奖。

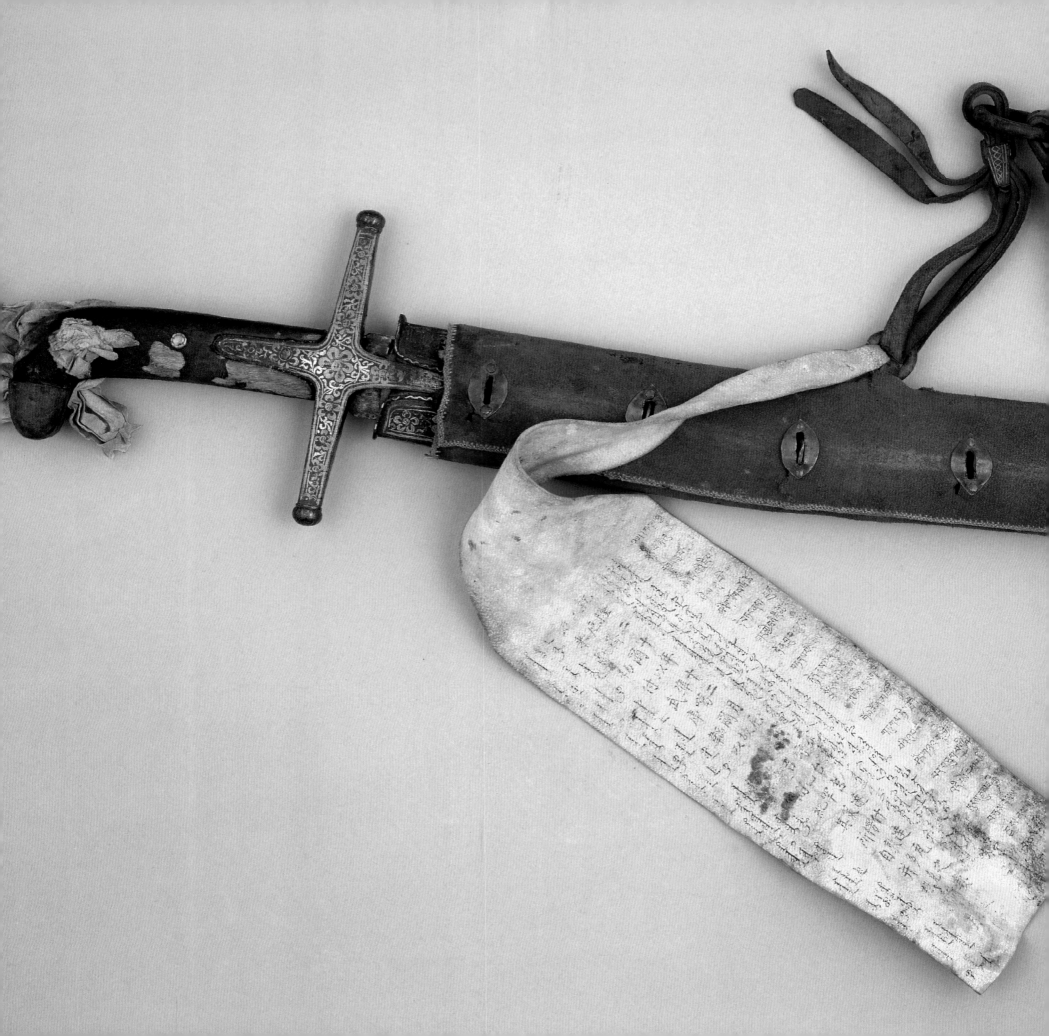

66. 土尔扈特腰刀

清乾隆

长 105 厘米

钢刀刃锋。木刀柄，外裹白鲨鱼皮，末包饰白铜片，护手圆形以白铜制成十字形。

木刀鞘，外蒙蓝绒。横束白铜箍三道，皆白铜錾卷草花纹。系黑皮带一根。附皮签，满、蒙、藏、汉文墨书"（残）土尔扈特积尔（残）贝（残）图恭进腰刀一口"。

土尔扈特，蒙古族中一个古老的部落。明末迁徙至伏尔加河下游、里海之滨。建立土尔扈特汗国。后由于沙俄的压迫，在首领渥巴锡的带领下，付出了巨大的牺牲，终于回归祖国，受到乾隆皇帝热烈欢迎。乾隆皇帝在承德避暑山庄接见了土尔扈特部贵族。

67. 渥巴锡进腰刀

清乾隆

长 86 厘米

钢刀。木刀柄，外镶黄、红、白三色金属丝线，末包饰银片并呈圆形，錾花叶纹，中镶红珊瑚珠一颗。护手铜质，錾花叶纹。

刀鞘木质，外蒙绿、黑皮。横束铜箍两道。系皮带一根，上饰珊瑚珠一颗。附皮签，墨书满、蒙、藏、汉文"（残）土尔扈特渥巴锡进（残）"。

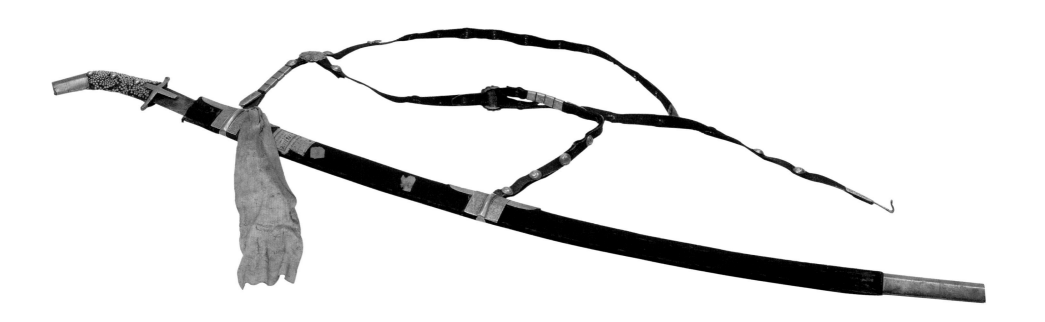

68. 瓦寺腰刀

清乾隆

长 96 厘米

钢刀刃锋。木刀柄，外裹白鲨鱼皮，末包铁錽金方形饰件，上镶珊瑚珠一颗。护手木质，饰铁錽金花叶纹，镶珊瑚珠一颗。

刀鞘木质，外蒙绿鲨鱼皮。琫、珌皆铁錽银地錾金花，镶珊瑚珠两颗。附皮签，墨书满、蒙、藏、汉文"乾隆□□年□□月 瓦寺宣慰司（残）进腰刀一把"。

瓦寺宣慰司，今四川阿坝藏族羌族自治州汶川县境内。

69. 铁刻花柄廓尔喀腰刀

清乾隆

长 97 厘米

钢刀刃锋。木刀柄，双面錾有字母形符号。刀柄、护手呈十字状，饰铁鋄金花卉纹。末为圆盘，系黄丝绦穗一根。

刀鞘木质，外包花卉黄缎。瑑、珌皆铜镀金，光素，鞘背为铜鋄金提梁，系明黄丝绦带与铜镀金环相属。附皮签，墨书满、蒙、藏、汉文"乾隆六十年十二月二十五日 廓尔喀额尔得凡王拉特纳巴都尔叩贺天喜 恭进小刀一把"。

廓尔喀，十八世纪曾作为尼泊尔首都，后用来代指尼泊尔王朝。拉特纳巴都尔，统一尼泊尔的博纳喇赤王的孙子，年幼嗣位，其叔巴都尔萨野实操国家大权。乾隆五十六年（1791年），廓尔喀进犯西藏，福康安率军赴藏征廓尔喀。乾隆五十七年，廓尔喀兵败乞降。乾隆五十八年，廓尔喀贡使噶箕第乌达特塔巴等上京纳贡，拉特纳巴都尔受封为廓尔喀王。

70. 廓尔喀左插刀

清乾隆

长 45 厘米

钢刀刃锋。牙质刀柄。木刀鞘，外裹黑
牛皮，包嵌镂银花卉叶片。

刀鞘可同时插一大四小共五把刀。

71. 廓尔喀云头刀

清乾隆

长 73 厘米

钢刀刃锋，呈云头状。铁刀柄，呈圆柱状。
护手呈圆盘状，包绿绒。木刀鞘，鞘首包嵌铜
镀金叶片，通身缠绿绒。

72. 廓尔喀手插刀

清乾隆

长 44 厘米

钢刀刃锋，前锐。刀柄铁镂金制，造型独特，上饰花纹。

刀鞘木质，外包黄绒。附皮签，墨书满、蒙、藏、汉文"乾隆六十年十二月二十五日 廓尔喀额尔得凡王拉特纳巴都尔叩贺天喜 恭进插刀一把"。

附 清人画平定廓尔喀战图册（其中三幅）

清乾隆

每幅纵 55.3 厘米　横 91.4 厘米

此图所画为福康安率领的朝廷军队打败廓尔喀入侵西藏的部队的关键战役的场面。

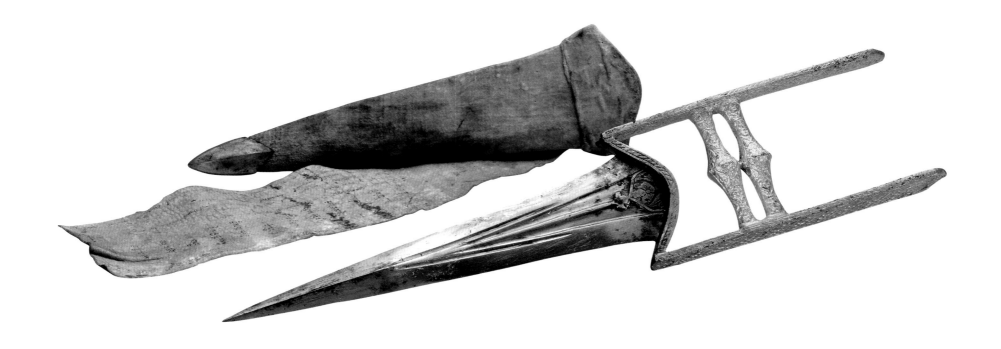

攻克擦木之圖

今為歸順皆歸
降一廓尔察事
有隻未示兵威
且利嚮豈知乞
命戩誠腔可嘉
名將及勇士何
礧存咎遂宵駛
擦木首攻所前
進戰圖補詠請
番邪

癸丑新正月
御題

攻克瑪噶爾

轄爾甲之圖

乘勝逐鼗鼓

萬前瑪噶爾

轄地相連密

林伏賊將守

險峭辟降兵

俟破堅其目

七名眾六十

生擒以半別

鐵全難云不

戰功為上戰

乃成功合詠

篇

癸丑新正

御題

攻克帕朗古之圖

分路橫河帕朗
進乞恩越切越
殿還將軍而檄
都遵命堪補晉
遮懼見頗何必
犂庭不遺介遂
教振旅一時班
年前捧表陪臣
玉更有崇恩厚
賜須

癸丑新正月
御題

73. 佛杵柄丹书克剑

<u>清嘉庆</u>

<u>长 94 厘米</u>

　　钢剑中起脊，刃锋，前锐。剑柄银质，柄头银镀金，呈佛杵状，护手为银质菱形圆盘。

　　剑鞘木质，饰黄绒、瑵、珌、鞘边皆银片包饰，以及横束银箍两道，均嵌绿松石、青金石、红珊瑚珠等。剑鞘背为银质提梁，系绦带一根与银环相属。附皮签，墨书满汉文"嘉庆七年八月初八日　哲布尊丹巴呼图克图恭进丹书克剑二把"。

　　哲布尊丹巴呼图克图，是外蒙古藏传佛教最大的活佛世系，与内蒙古的章嘉呼图克图并称为蒙古两大活佛。丹书克，藏语音译，亦称噶书克，是西藏地方向皇帝呈递的一种公文形式。

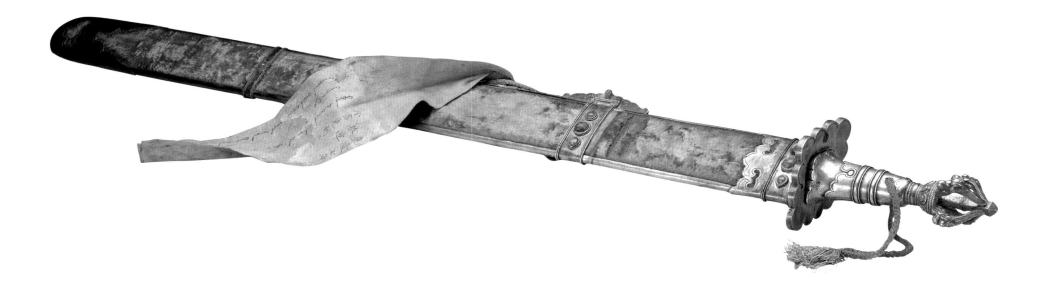

嘉慶七年
恭進
恭誓克劍二把
丹誓克劍

74. 银丝柄皮鞘腰刀

清

长 76 厘米

　　钢刀刃锋，通口饰夔龙纹。刀柄木质缠银丝，末与护手处为铜镀金莲花纹。

　　刀鞘木质，外蒙黑皮，琫、珌皆铜镀金錾花卉卷叶纹。刀末有盖，可开合，内贮长扁盒一，存放有微型绘图仪器一套。

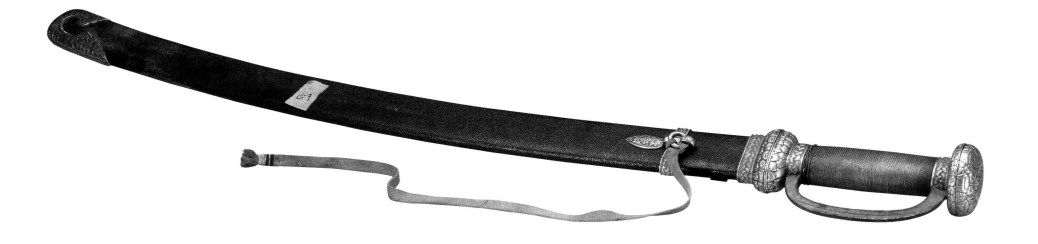

75. 西洋改鞘腰刀

清

长 99 厘米

　　钢刀刃锋，刀面鋄金西洋骑士挥刀驰骋图、兵器图、卷叶花卉纹和西洋文字，字迹模糊不清。刀柄木质，外裹黄丝带，末和护手为铜镀金花叶纹，嵌红珊瑚、青金石。

　　刀鞘木质，蒙绿鲨鱼皮，琫、珌皆铜镀金鋄金花卉，嵌饰与末、护手相同。横束铜镀金箍两道，系绦带与铜镀金环相属。其刀身为西洋制，柄、鞘为清宫造办处后配。

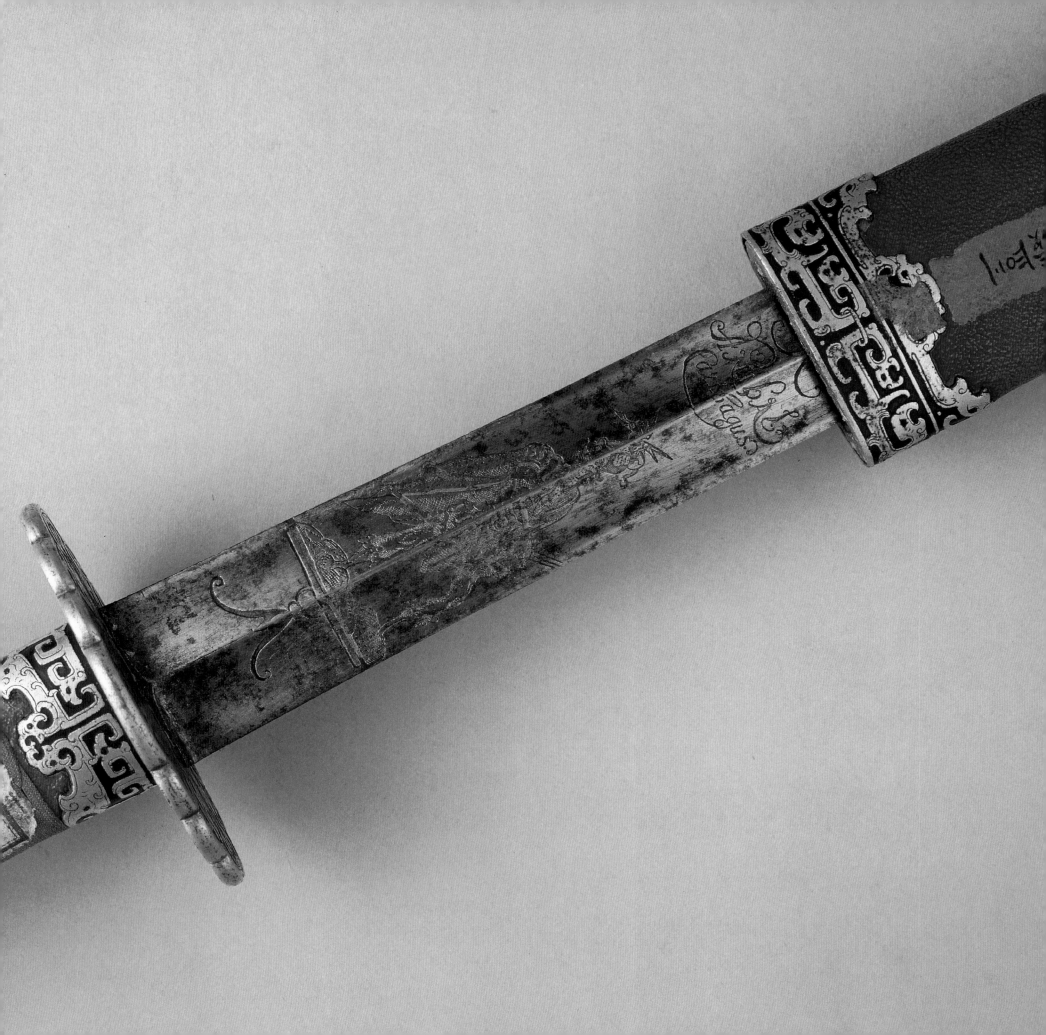

76. 高丽刀

清

长 154 厘米

钢刀。木刀柄,外裹鱼皮,上敷凹凸铜片,
再以牛皮束裹。护手圆形,饰铁鋄银花卉纹。
刀鞘木质,髹黑漆。

77. 红皮鞘西洋剑

清

长 121 厘米

钢剑刃锋,底部双面鋄金武士、骑士、
猛禽图案各一。护手为铁镀金椭圆形,面黑漆
地鋄金夔龙云纹。柄木质,蒙红皮外缠黄丝绦
带。柄头呈如意云头状,纹饰相同。

剑鞘木质,蒙红皮,璏、珌皆铜鋄金,纹
饰与前同。此剑剑身为西方佩剑饰样,柄、鞘
为清宫造办处后配。

78. 铜镀金柄西洋剑

清

长 100 厘米

钢剑，中起脊，刃锋，前锐，底部錾花纹。护手圆盘形，剑柄铜镀金，錾花卉卷草纹。柄头圆球状，纹饰同前。无鞘。

79. 铜柄鱼骨剑

清

长 164 厘米

剑身以鱼脊骨制成，骨刺锋利。剑柄铜质镀银，镂雕如意云及缠枝莲、卷草纹。

鱼骨剑由清宫造办处制作，只是作为陈设物，没有实际用途。

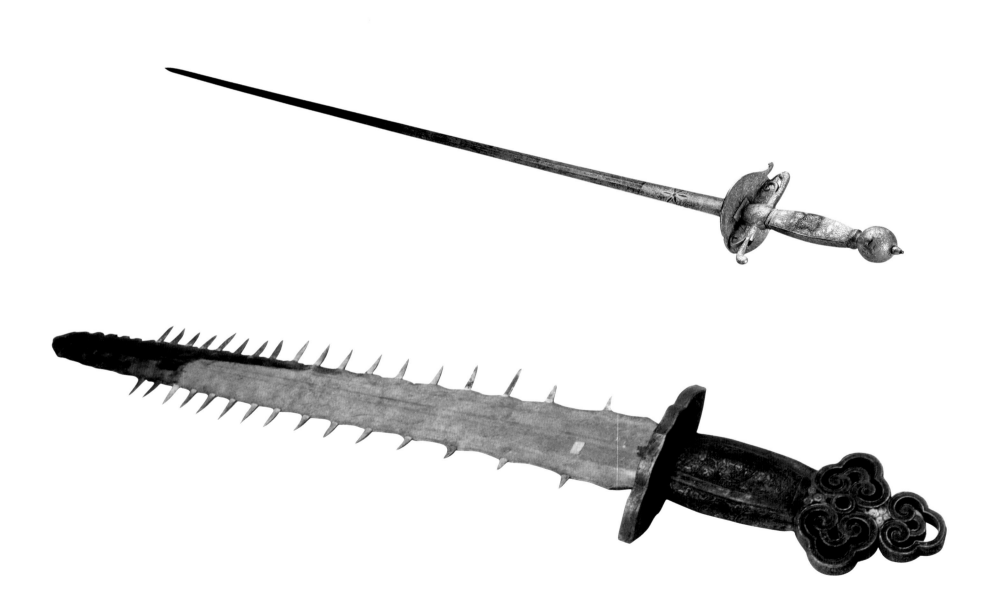

80. 象牙柄匕首

清

长 48 厘米

钢质，刃锋，象牙柄，木鞘镶嵌银箍。

81. 牛角柄匕首

清

长 50 厘米

钢质，刃锋，前锐，近柄处鋄金花叶纹。牛角柄。黑漆木鞘，饰描金花卉纹。首尾包嵌铜镀叶片，錾花草纹。

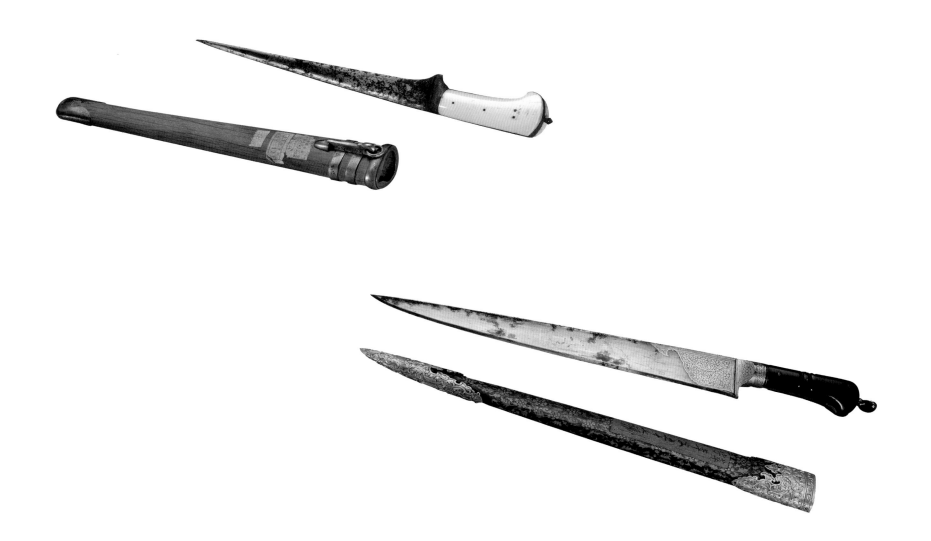

82. 玉雕花柄匕首

清

长 43 厘米

　　钢质，刃锋。玉柄雕花叶纹。柄首圆雕花叶状。棕红色皮鞘，首尾包嵌铜镀金卷草、花草及回纹饰件。

83. 青玉羊首柄匕首

清

长 48 厘米

　　钢质，刃锋。羊首状玉柄。棕色皮鞘，首尾包嵌铜镀金饰件，錾卷草花叶纹。

84. 玉护手柄匕首

清

长 47 厘米

　　钢质，刃锋。白玉柄，圆雕花觚状，首尾环连。皮鞘，首尾包嵌铜镀金饰件，錾卷草花叶纹。

85. 墨玉嵌宝石柄匕首

清

长 46 厘米

　　钢质，刃锋。玉柄雕花叶纹，花蕊、花蕾上各嵌红宝石。黑色皮鞘，尾包嵌铜镀金卷草、蕉叶及回纹，首嵌件残缺。

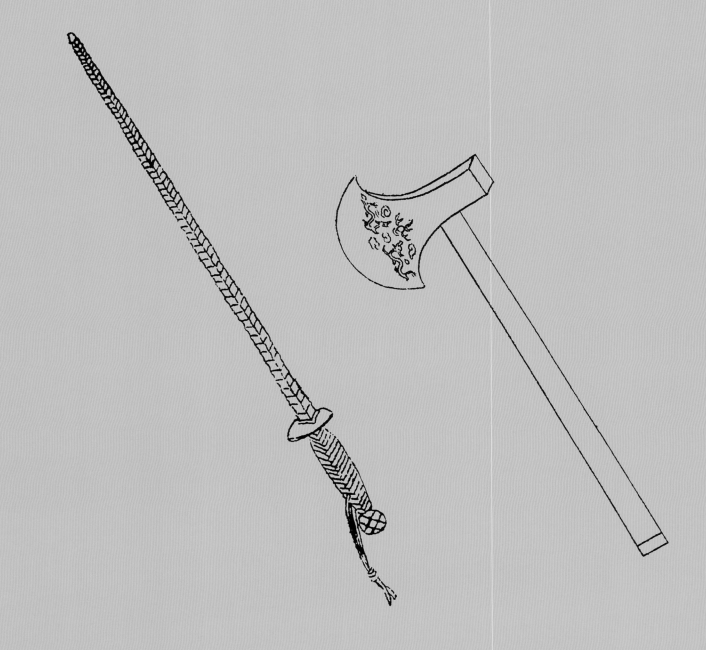

86. 杵式铁鞭

<u>清</u>

<u>长 104 厘米</u>

　　鞭铁质，鞭身竹节状。柄首尾以铁铸须弥座，分饰夔龙纹，呈弓状。柄作佛教法器中的金刚杵状，中部有铁柱，外包嵌随形圆木。

87. 木柄 飞虎斧

清

长 136 厘米

　　钢斧，刃薄面锋，斧身中部双面鋄金飞虎
火焰纹。黑漆木柄，底帽为铜镀金饰件。

88. 木柄钺斧

清

长 110 厘米

铁钺，前端有突出的矛头。木柄，柄尾套黑漆牛角。

89. 铜吞龙钺斧

清

长 73 厘米　宽 23 厘米

铁钺，以铜镀金龙衔之。前端有突出的矛头。柄已佚。

90. 铜柄方锏

清

长 103 厘米

铜为钢质，四方棱，护手圆柱形，柄头铜
瓜棱形。

91. 铜锤

清

长 58 厘米

首尾铜质，首为长圆瓜形，尾为几何棱形，
中部为铁柄，圆柱状，外裹竹篾缠麻。

92. 铁月牙双钩

清

长 100 厘米

铁质，头部呈弯钩状，尾部尖刺，手握处
缠素丝带，横向制成月牙弧形钩状。

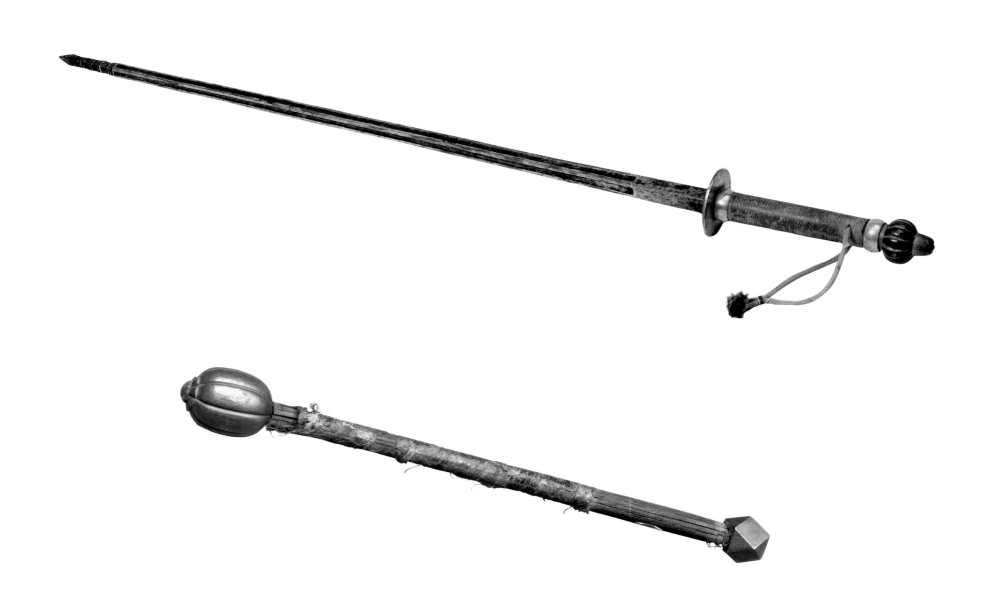

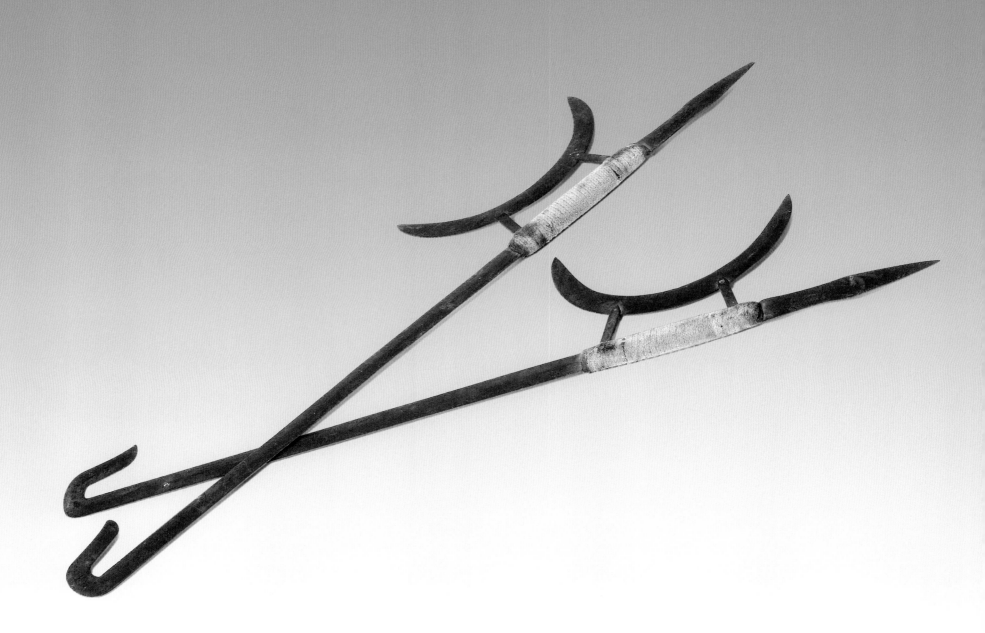

93. 金錾龙嵌珠石马鞍

清顺治

高 32 厘米　长 67 厘米

　　木胎，前后鞍桥饰金叶，上錾刻云龙、花叶、海水江崖等图纹，镶嵌珍珠、绿松石、珊瑚等。座面黄缎地，饰彩色行龙与火珠、如意云纹，以金箍固定。马镫为铁镀银，蹬面饰方胜纹，顶部镂雕镀金龙纹，以黄带连接。配黄缎面鞍垫，上绣云龙、蝙蝠、海水江崖，内敷棉。

　　附鞦辔提胸，上镶金花叶饰件，嵌珊瑚、青金石、绿松石。

　　附皮签，墨书满汉文"世祖章皇帝御用嵌松石珊瑚丝线鞦辔一副　康熙□年恭贮"。附木牌，墨书汉文"世祖鞍　贰"。

94. 牛角边嵌螺钿马鞍

清顺治

高 30 厘米　长 63 厘米

木胎，前鞍桥边饰牛角，面用各色螺钿组成二龙戏珠、海水江崖等图纹。座面饰黑牛皮，以银箍连接。马镫为铁镀银，镫面饰杂宝纹，顶部镂雕龙纹，以黄带连接。鞍垫面为毡，内敷棉。附鞦䌫提胸，上镶铁镀金花卉饰件，嵌珊瑚、青金石、绿松石。

附皮签，墨书满汉文"世祖章皇帝御用嵌螺钿松石（残）康熙十年恭贮"。附木牌，墨书汉文"世祖鞍　陆"。

95. 铜镀金镂花缠枝莲纹马鞍

清康熙

高 36 厘米　长 63 厘米

木胎，前后鞍桥面饰铜镀金缠枝莲纹，鞍座铺毡。马镫为铁鋄银，顶部镂雕龙纹，以带连接。附鞦䌫提胸，上镶铜镀金饰件，嵌珊瑚、青金石等。

附皮签，墨书满汉文"圣祖仁皇帝御用鋄金丝线鞦䌫一副　康熙二十一年恭贮"。

96. 银刻花嵌松石珊瑚马鞍

<u>清雍正</u>

<u>高 28 厘米　长 58 厘米</u>

　　木胎，前后鞍桥通体饰银叶，錾云龙火珠纹，镶嵌青金石、珊瑚等。鞍座上铺设鞍垫。马镫为铁鋄金，镫面镂刻杂宝纹，镶嵌青金石、绿松石、珊瑚等，顶部铁鋄金镂雕龙纹，以黄带连接。附鞦辔提胸，上镶银花叶饰件，嵌珊瑚、青金石、绿松石等。

97. 铁鋄金镂龙额勒特式马鞍

清乾隆

高 35 厘米　长 62 厘米

　　木胎，前后鞍桥鋄金镂雕龙、兽、花叶等纹饰，鞍垫黄绒，外饰团龙、八宝纹，内敷棉。马镫为铁鋄金，顶部镂雕龙纹，以带连接。附鞍辔提胸。

　　额勒特，或写作厄鲁特，清代对漠西蒙古的称呼。

98. 嵌钟表木镶绿鲨鱼皮铜钉马鞍

清乾隆

高 33 厘米　长 63 厘米　宽 31 厘米

　　木胎，前后鞍桥面饰绿鲨鱼皮嵌铜花卉纹，周边嵌红、黄料石，鞍桥边缘为铜胎珐琅嵌金花卉纹，中嵌一块白珐琅表，表缘周边嵌彩色料石。鞍座铺毡。马镫为铜镀金，顶部镂雕龙纹，以带连接。附鞍辔提胸，上镶铜镀金饰件，嵌珐琅、料石等。

99. 黑漆嵌牙花马鞍

清乾隆

高 32 厘米　长 60 厘米

木胎，前后鞍桥通体饰牛角边，面髹黑
漆，嵌牙质缠枝莲花纹。前鞍板镶嵌指南针，
内有"东南西北"和"乾隆年制"字样。鞍
座铺鞍垫。马镫为铁镀金，边饰缠枝莲纹，顶
部以白带连接。

附黄纸签"庆字六号　嵌日罍牙花鞍板丝
绦鞦辔鞍一副"。附木牌"上用鞍七"。

100. 铜镀金镂花嵌玉石马鞍

清乾隆

高 34 厘米　长 67 厘米

木胎，前后鞍桥镶铜镀金花叶边，内嵌碧玉，上饰青金石和碧玺。马蹬为铜镀金，顶部镂雕花叶纹，以皮带连接。配鞍垫，面黑绒，黄芯，内敷棉。附鞦辔提胸，上固铜镀金寸槽，嵌饰玉质竹节。

附黄纸签墨书"高宗"二字。

101. 铁錽金双龙马鞍

清乾隆

高 30 厘米　长 66 厘米

木胎，前后鞍桥以银叶镶边，面上铁錽金镂雕二龙戏珠及如意云纹。马蹬为铁镀银，蹬面饰方胜、金钱纹，顶部镂雕龙纹，以蓝带连接。配鞍垫，面绣金龙、火珠、如意云和海水江崖纹，内敷棉。附鞦辔提胸。

附皮签，满汉文墨书"高宗纯皇帝御用錽金银玲珑花丝线鞦辔鞍一副　乾隆十九年恭贮"。

102. 黑漆寿字描金花马鞍

清乾隆

高 36 厘米　长 61 厘米

　　木胎，前后鞍桥边饰牛角，面髹黑漆描金寿字、夔龙、卍字等纹。马蹬为铁镀金，顶部镂雕龙纹，以皮带连接。鞍坐面髹黑漆，垫为蓝绒黄芯面，外饰梅花纹，内敷棉。附鞦辔提胸。

　　附皮签，满汉文墨书"高宗纯皇帝御用卍字梅花鞦辔鞍一副　乾隆四十三年恭贮"。附黄纸签，墨书"云电字六号　高宗纯皇帝梅花鞍一副"、"云字二号　万字梅（残）"。

103. 掐丝珐琅马鞍

清

高 33 厘米　长 63 厘米

　　木胎，前鞍桥面以掐丝珐琅卍字纹为地，上嵌五岳真形图及兽首、花卉图纹。后鞍桥面以掐丝珐琅卍字纹为地，上饰云龙、火珠、方胜和花卉等图纹。鞍座上铺蓝绒鞍垫。马镫为铁镀金，顶部镂雕铁镀金龙纹，以黄带连接。附鞦辔提胸，上镶珐琅饰件、白玉珠等。

104. 木炮鞍

清乾隆

长 50 厘米　宽 55 厘米　高 34 厘米

　　木质，形质粗劣，无任何装饰。

附　清人画平定准部回部战图册（其中三幅）

清

每幅长 55.4 厘米　宽 90.8 厘米

　　图中所绘为乾隆二十年至二十六年（1755 年～ 1761 年）平定准噶尔部达瓦齐和维吾尔族大小和卓木叛乱战役。其中《黑水围解》、《呼尔满大捷》、《伊西洱库尔淖尔之战》三幅图中有大量使用火炮、火枪的场景。

呼爾滿滿大捷

我師萬里於馬

力竇雞綜况深

入賊巢生字防

誠吳以此彼而

圍固守校象氣

皇恩鼎輕進惟

揚滴点不莴霞

奏敢愧人閒厲

居指殺居訣兵

盧能彼地宰滕生

俯仰而闢行邪

盈餘王言示莴霞

細中夜而關行邪

傳驛設幸戰五

投衣祝摩窘稽

日夜新將窘棋

職副將軍富慮

象貴及軍士閒

心成巨功強賊

敲子嬌已近將

軍營道作幸遣

四頒綱百計攻

官軍二景備以

此歷三月今奏美

皆備遂打商天

聖策一奉期功

道胃寅寅宏荣

今朝焙慶属敬

心念眾勞額子

武

天賜伊称指誓

馳園朝威盡被

己卯仲春月作

尚筆

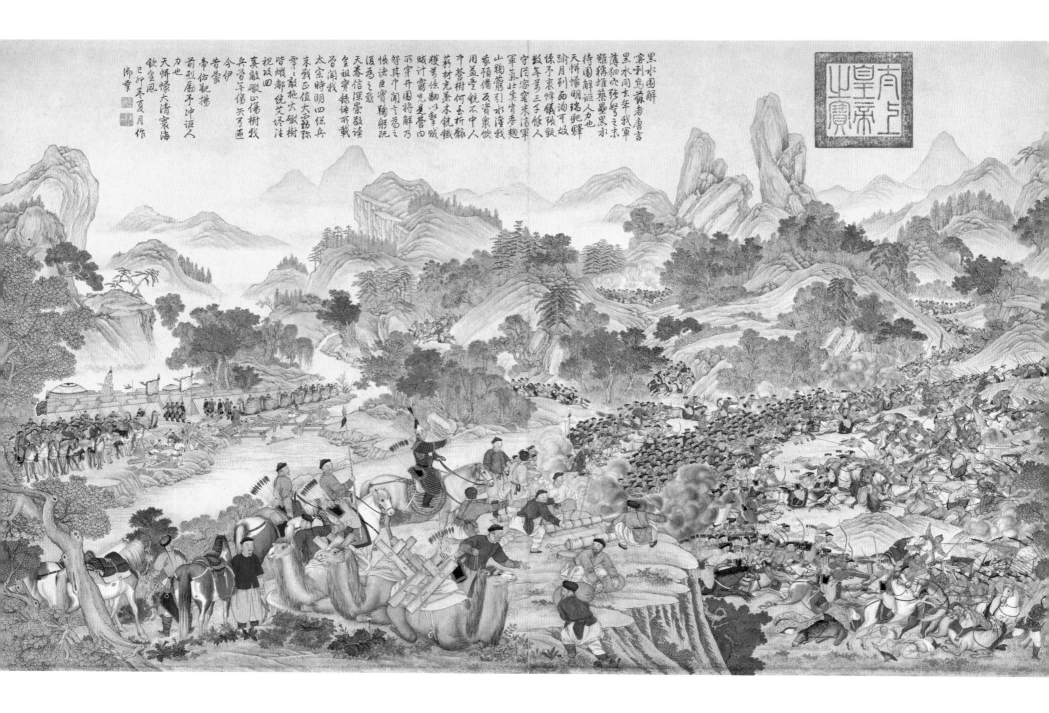

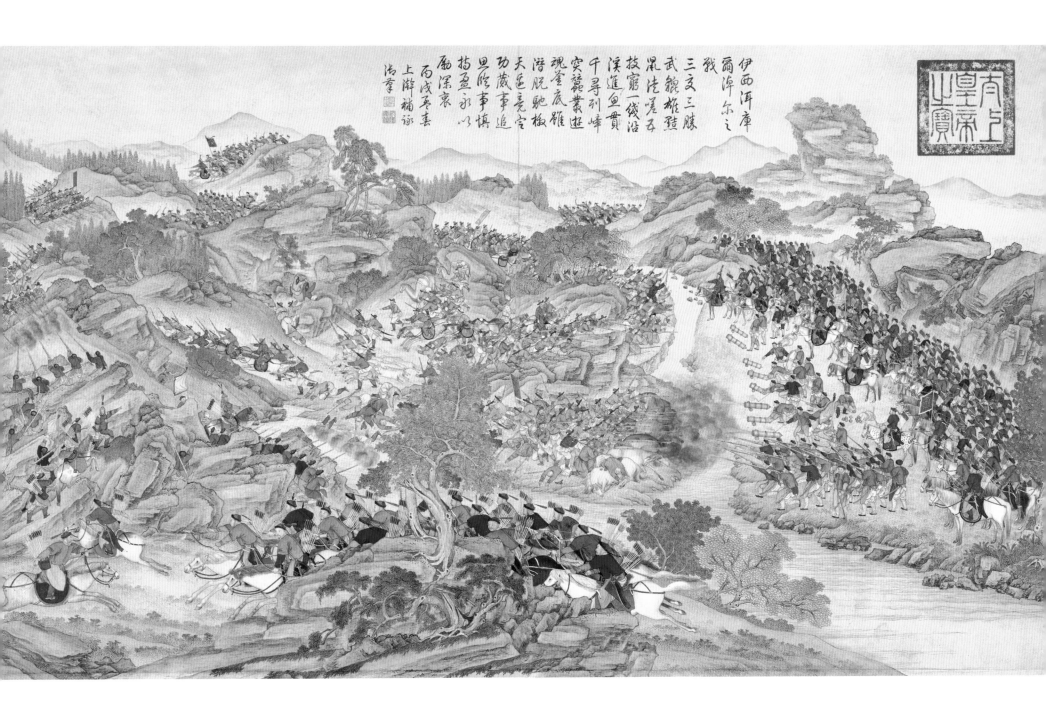

105. 鞦辔

清

鞦长 106 厘米　辔长 67 厘米

　　鞦辔一副，黄绦带上镶铜、铁镀金饰件，嵌彩色料石。提胸为掐丝珐琅，上饰缠枝莲纹。附黄纸签，墨书"二十九号　假金刚石鞦辔一副"。

106. 玉把刻诗句藤马鞭

清乾隆

长 71 厘米

鞭柄青玉，镌乾隆御制诗《射熊行》："虞人来报熊咆林，彴飞亲率崇树寻。倏眄群逐出丛樾，一箭要害洞中深。馥焉肆地目精散，封豕有力驮难任。复报翠微出其子，驻马掩博观勇士。须臾子路入槛笼，手罴足罴宁虚揣。畜之虎圈暂贷生，平原不射非所拟。子臣永璇敬书。"钤"臣"、"璇"印。诗句为楷书填金，周围雕刻夔龙、八卦及回纹。鞭杆竹质，鞭梢以黑丝线编辫而成。

107. 碧玉兽柄藤鞭

清

长 87 厘米

鞭柄雕玉兽，藤鞭中部镶饰叶形象牙纹饰。

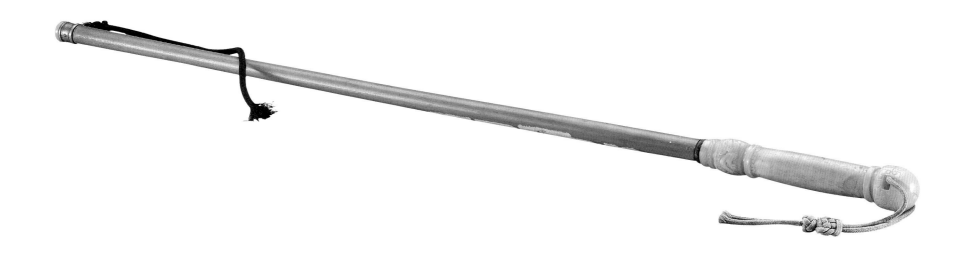

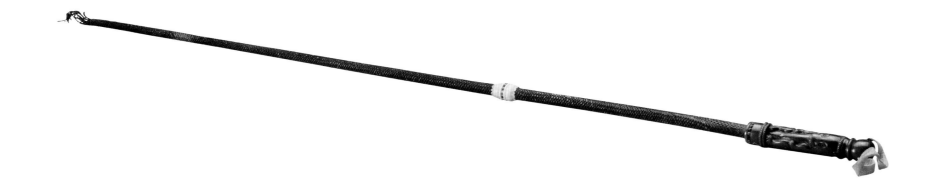

108. 大海螺

<u>清乾隆</u>

<u>长 41 厘米</u>

　　海螺边镶嵌随形银叶片，錾孔一，系绿
绦带一根。螺壳内镌满文。

109. 铜海螺

<u>清</u>

<u>长 31.5 厘米</u>

　　铜质，仿天然海螺形状和纹饰。

110. 楠木雕龙纹鹿哨

清

长 80 厘米

木质，雕龙，镶牛角嘴。吹出鹿鸣之声
以诱鹿，以便近而矢射。

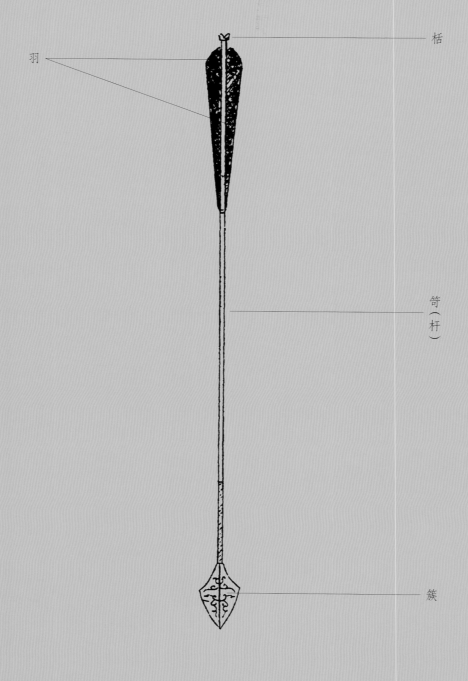

栝

羽

笴（杆）

镞

弓箭与櫜鞬

111. 遵化长鈚箭

清康熙

长 94 厘米

箭簇铁质。箭杆杨木，杆首饰金桃皮。栝髹朱漆，旁裹桦皮，雕羽。附黄纸签墨书"武字二十二号　圣祖仁皇帝御用长批（鈚）八十三枝　此箭应随第六箱箭之数"。

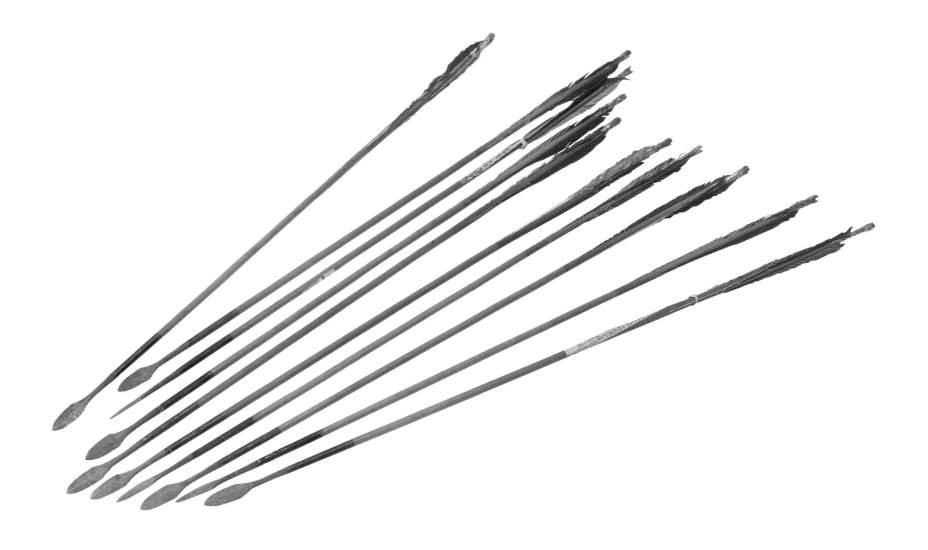

112. 大荷包哨箭

清康熙

长 102 厘米

箭簇铁质，较宽。箭杆杨木，杆首饰嵌骨质镂空荷包形，栝髹朱漆，旁裹桦皮，雕羽，杆雕羽处彩漆花卉纹饰。附黄纸签墨书"武字卅六号 圣祖仁皇帝御用大荷包哨箭二枝"、"圣祖仁皇帝御用大荷包哨箭贰枝 呈览一枝"。

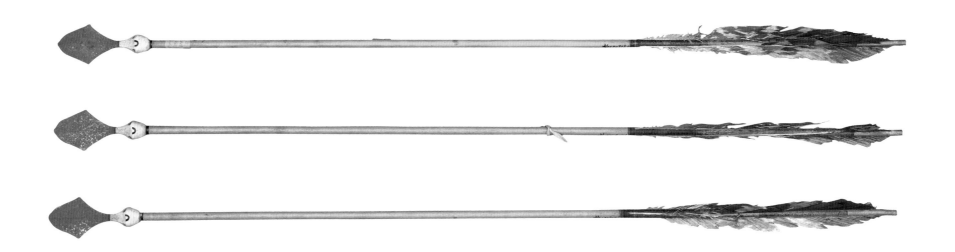

113. 方骲箭

清康熙

长 104 厘米

箭簇（骲）为桦木，穿四个菱形孔。箭杆杨木，栝髹朱漆，黑雕羽。附黄纸签墨书"武字八十号 圣祖仁皇帝 方骲头二十枝"。

114. 鸭嘴哨箭

清康熙

长 103 厘米

箭簇骨质，呈鸭嘴状，环穿四孔。箭杆桦木，雕羽，栝髹朱漆，旁裹桦皮。附黄纸签墨书"圣祖仁皇帝御用鸭嘴箭拾枝 呈览一枝"。

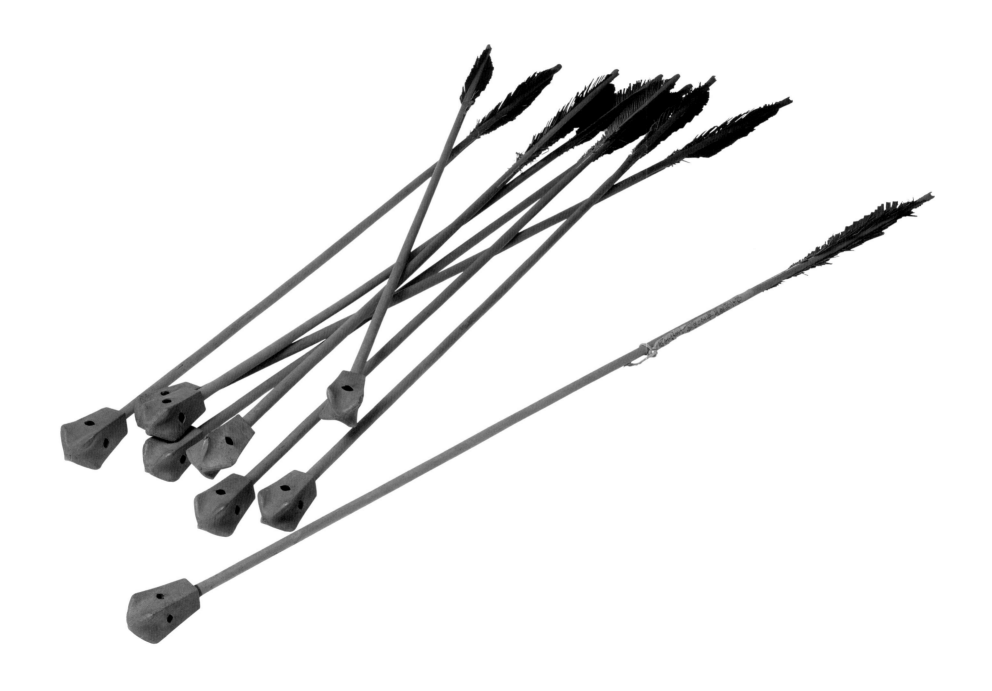

115. 镀金大哨箭

清康熙

长 104 厘米

　　箭簇铁质，簇底部镀金花叶纹，哨环穿四个圆孔。箭杆桦木，杆首饰金桃皮，栝檠朱漆，旁裹桦皮，雕羽，杆雕羽处檠橙漆。附黄纸签墨书"武字卅三号　圣祖仁皇帝镀金大哨箭二枝"。

116. 弩弓箭

清康熙

长 79 厘米

　　箭簇铁质，前锐呈三角形。箭杆杨木，杆首及中部饰金、黑桃皮，栝檠朱、绿漆，花雕羽。附黄纸签墨书"圣祖仁皇帝御用弩箭一百枝　呈览一枝"。

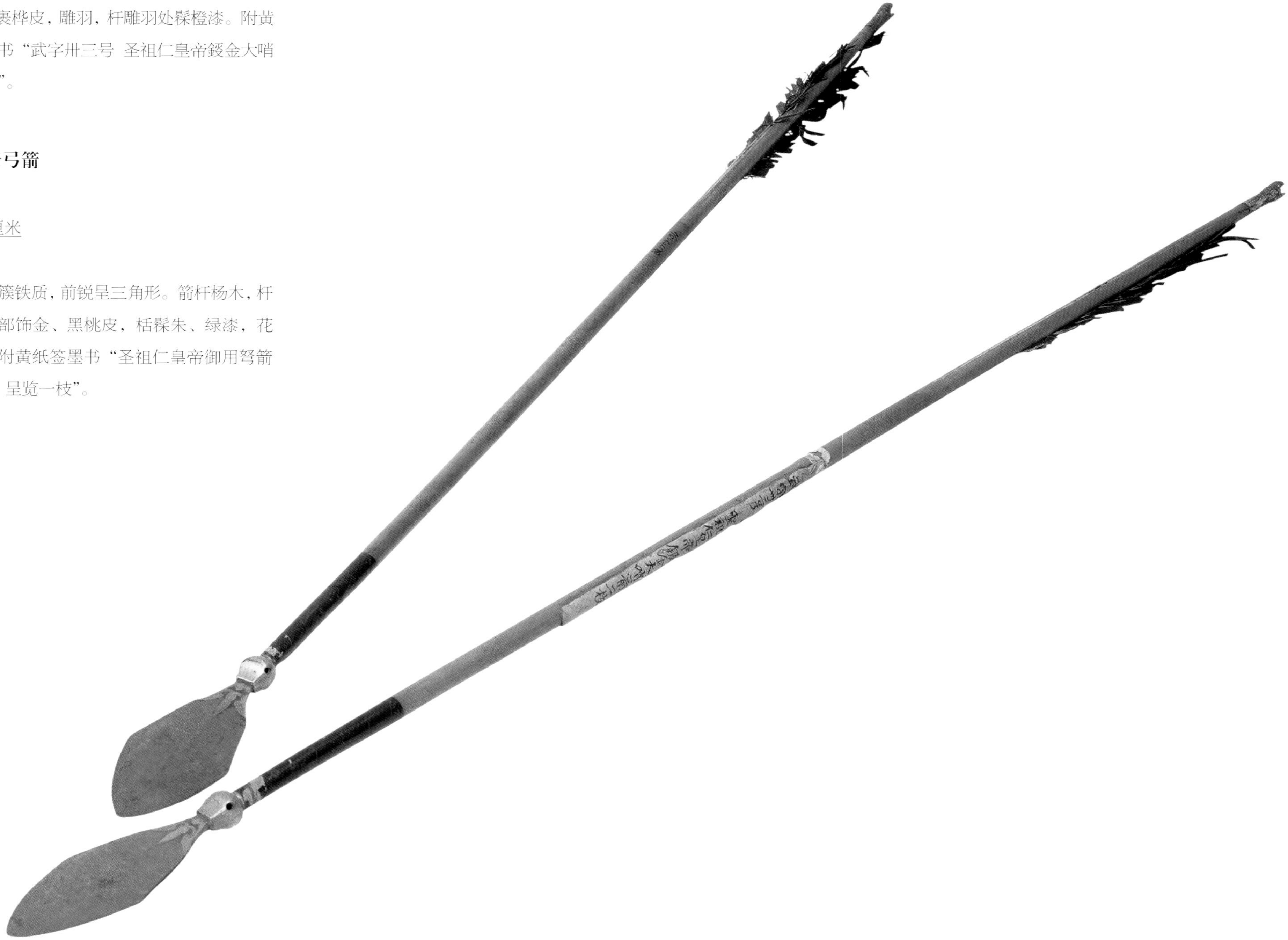

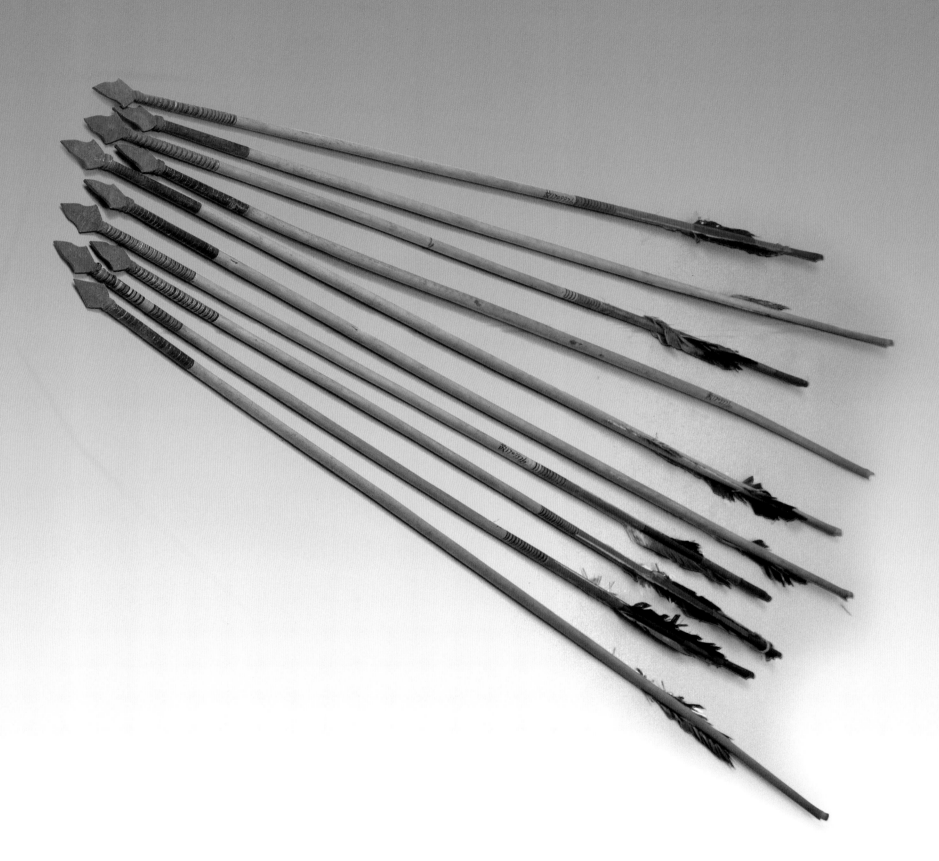

117. 五齿鱼叉箭

清雍正

长 99 厘米

　　箭簇铁质，五齿，齿端施倒刺。箭杆杨木，杆首饰金、黑桃皮。栝四周裹桦皮，白雕羽。附黄纸签墨书 "世宗宪皇帝御用铁叉箭十枝 呈览一枝"。

118. 行围鈚箭

清乾隆

长 103 厘米

　　箭簇铁质。箭杆杨木，杆首饰金桃皮。栝糅朱漆，裹桦木皮，花雕羽。附黄皮签墨书满汉文 "高宗纯皇帝御用箭十八枝 嘉庆七年恭贮"。

119. 回子鈚箭

清乾隆

长 104 厘米

　　箭簇铁质。箭杆杨木，杆首饰金桃皮。栝糅朱漆，旁裹桦皮，黑雕羽，羽间糅彩漆吉祥纹饰。附黄纸签墨书 "武字一百十三号"、"高宗纯皇帝御用回子披（鈚）箭二十七枝 呈览一枝"、"高宗纯皇帝御用回子披（鈚）箭十八枝 呈览一枝"。

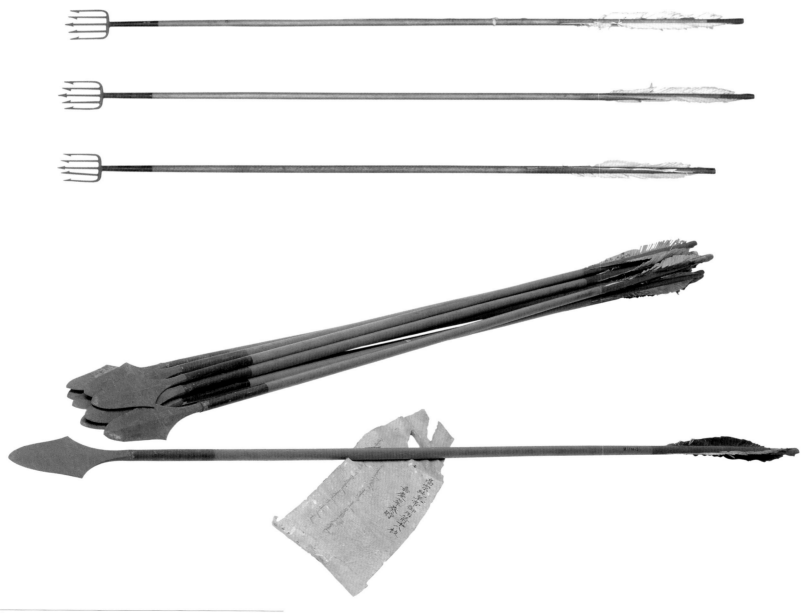

120. 圆哨箭

清乾隆

长 93 厘米

箭簇铁质，哨骨质，环穿四孔。箭杆杨木，栝糅朱漆，旁裹桦皮，雕羽。附黄纸签墨书"武字一百十八号 高宗纯皇帝御用哨箭四枝"。

121. 行围哨箭

清乾隆

长 102 厘米

箭簇铁质，镞底部錽金花叶纹。哨骨质，环穿四孔。箭杆杨木，栝糅朱漆，裹桦皮，雕羽，杆雕羽处糅彩漆吉祥纹饰。附黄纸签墨书"高宗纯皇帝御用哨箭八枝 呈览一枝"。

122. 白档索伦长铍箭

清乾隆

长 99 厘米

箭簇铁质。箭杆杨木，杆首饰金桃皮。栝糅朱漆，黑雕羽。附黄纸签墨书"高宗纯皇帝御用白档索伦长披（铍）箭十枝 呈览一枝"、"高宗纯皇帝御用白档索伦长披（铍）箭十枝"。

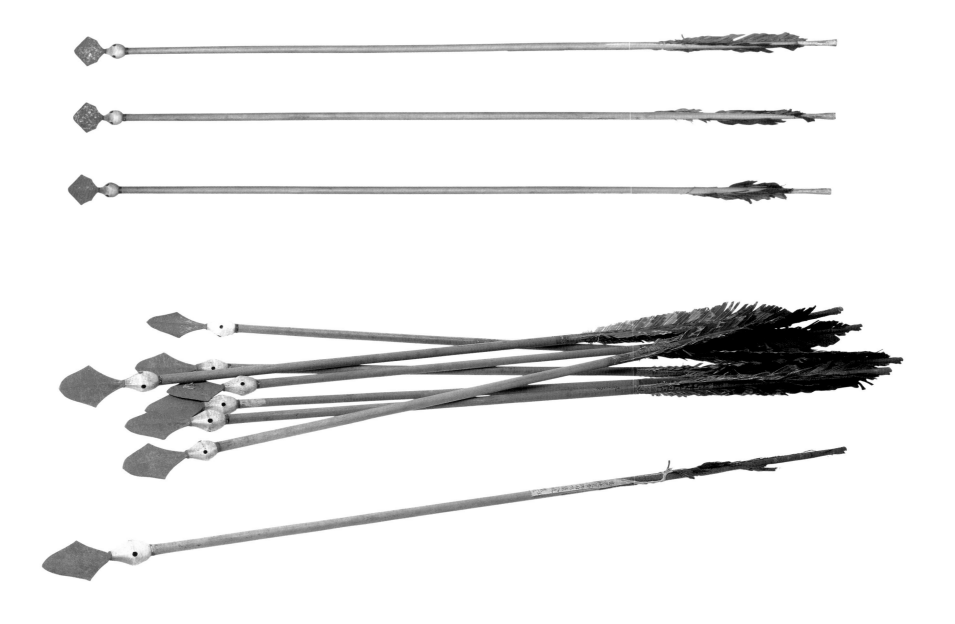

123. 铁镞榛子哨箭

清乾隆

长 109 厘米

箭簇铁质，簇底铜镀金哨，形如榛子，环穿三孔。箭杆杨木，栝髹朱漆，黑雕羽。附黄纸签墨书"武字一百玖号　高宗纯皇帝御用哨箭四枝"、"高宗纯皇帝御用哨箭六枝呈览一枝"。

124. 皇帝大礼随侍箭

清

长 103 厘米

箭簇铁质，鋄金云龙纹。箭杆杨木，杆首饰黑桃皮，栝髹朱漆，旁裹桦皮，黑雕羽，羽间髹橙漆。

125. 皇帝御用射鹄骲箭

清

长 96 厘米

骲头角质，圆形前尖，环穿五孔。箭杆杨木，杆首饰金桃皮，栝四周裹桦皮，黑雕羽，白雕羽。

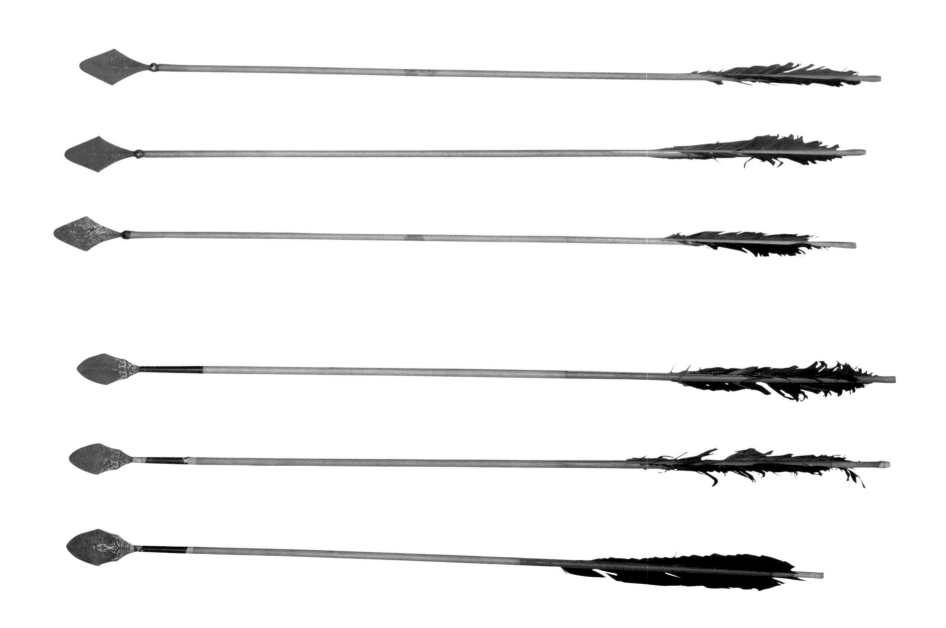

126. 厄鲁特梅针箭

清

长 94 厘米

箭簇铁质，尖长。箭杆首饰金桃皮，栝檏朱漆，雕羽尾。

127. 齐鈚箭

清

长 100 厘米

箭簇铁质，平顶。箭杆杨木，杆首饰金、黑桃皮。栝檏朱漆，黑雕羽。

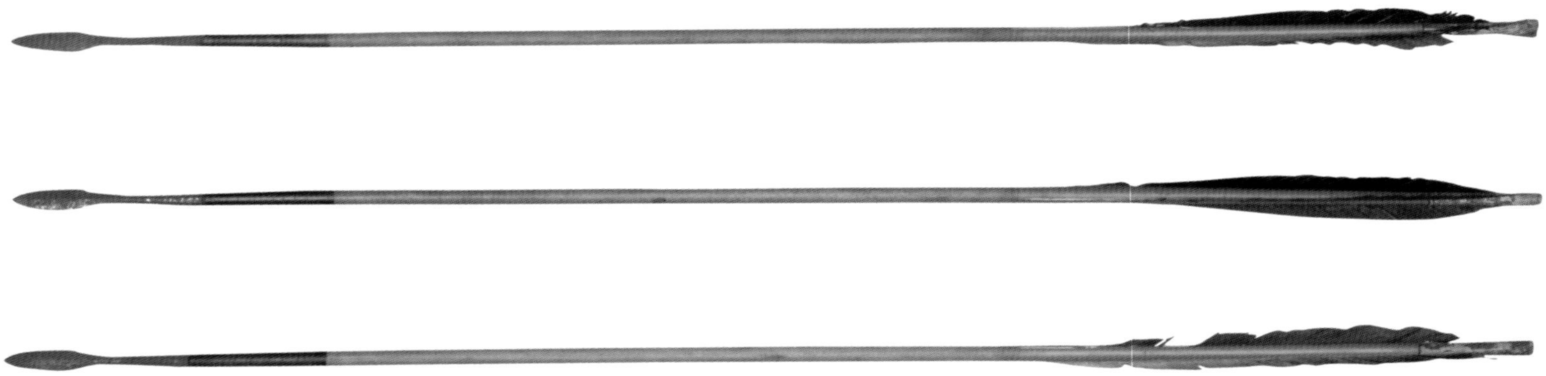

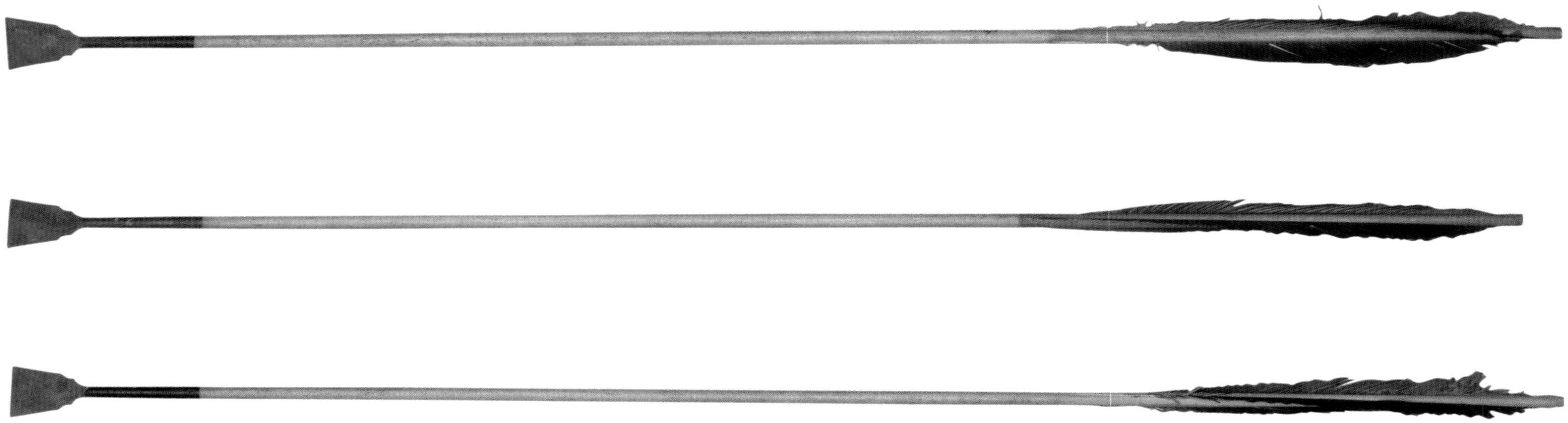

128. 月牙錍箭

清

长 94 厘米

箭簇铁质，形如月牙铲。箭杆杨木，杆首饰金桃皮。栝糅朱漆，旁裹桦皮，羽脱。

129. 兔叉箭

清

长 103 厘米

箭簇骨质，后施双重铁齿四。箭杆杨木，杆首饰黑桃皮。栝糅朱漆，羽脱。

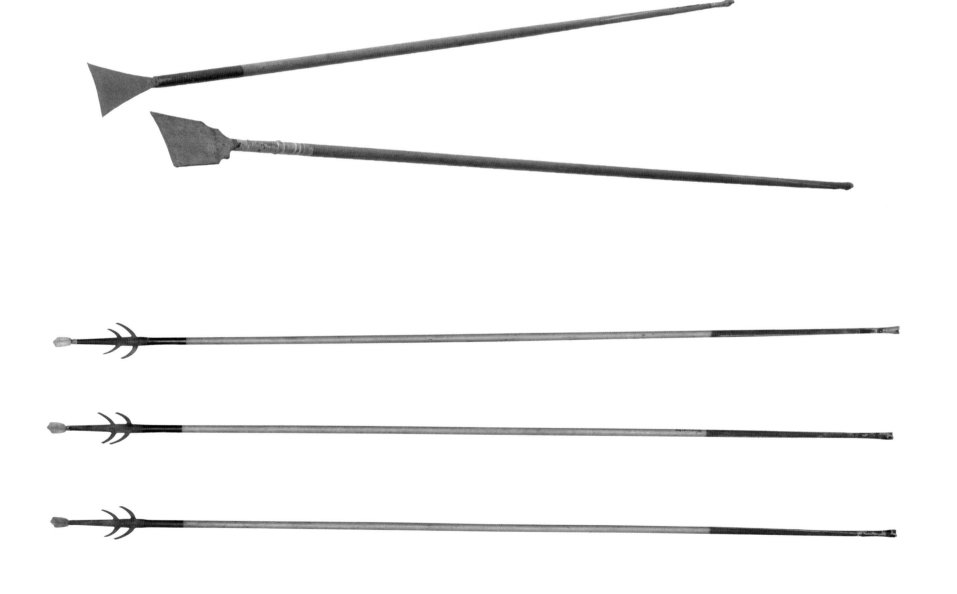

130. 六孔鈚箭

清

长 94 厘米

箭簇铁质，菱形，穿六孔。箭杆杨木，杆首饰黑桃皮。栝檃朱漆，旁裹桦皮，黑雕羽，雕羽处杆缠线饰。

131. 矛形鈚箭

清

长 102 厘米

矛形铁箭簇。杨木箭杆，杆首饰黑桃皮，栝檃朱漆，雕羽。

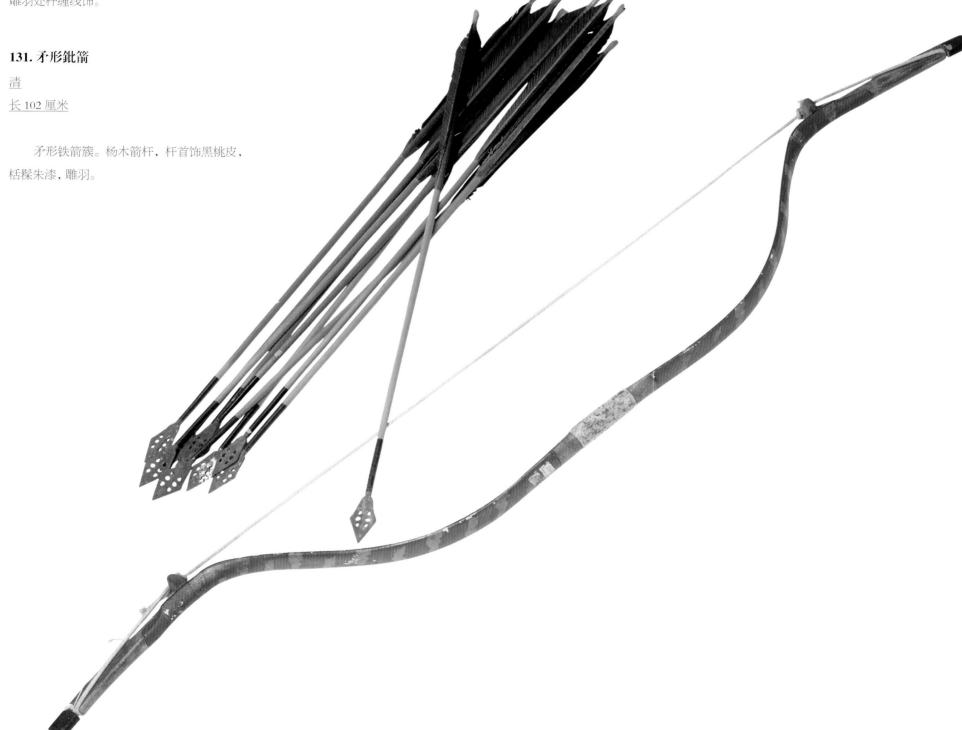

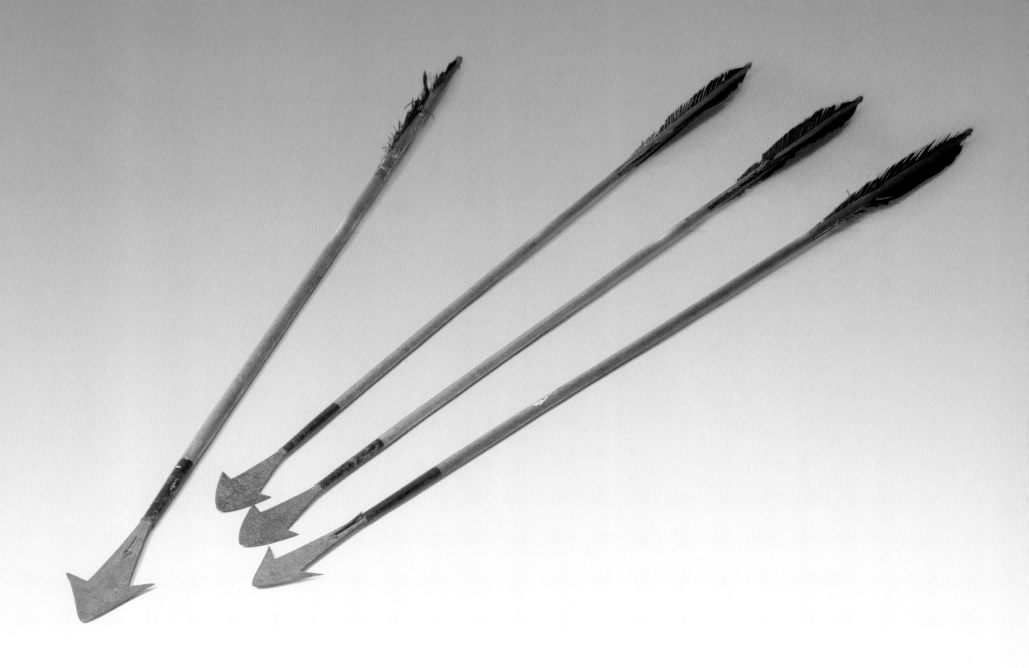

132. 镂花鈚箭

<u>清</u>

<u>长 101 厘米</u>

菱形铁箭镞，镂花。杨木箭杆，杆首饰
金桃皮，已脱落，栝髹朱漆，旁裹桦皮，雕羽，
羽间彩绘吉祥纹饰，已残。

133. 官兵箭

<u>清</u>

<u>长 102 厘米</u>

箭镞铁质。箭杆杨木，杆首饰金桃皮，黑
雕羽。

134. 齐梅针箭

<u>清</u>

<u>长 94 厘米</u>

　　箭簇铁质，平头，可射穿锁子甲，因其箭首如针，故名。箭杆杨木，杆首饰金桃皮。栝糅朱漆，旁裹桦皮，黑雕羽，羽间糅橙漆。

135. 四棱铁头箭

<u>清</u>

<u>长 103 厘米</u>

　　箭头椭圆形，前固四棱箭簇。箭杆杨木，雕羽。

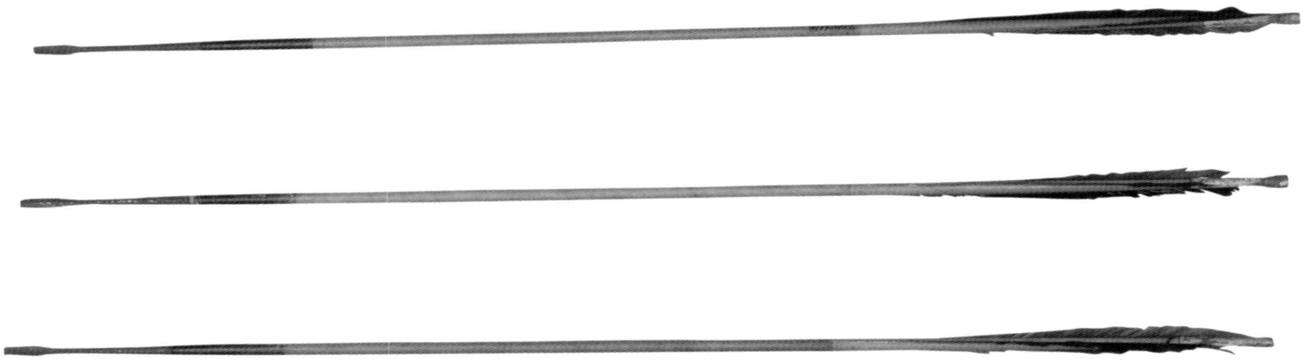

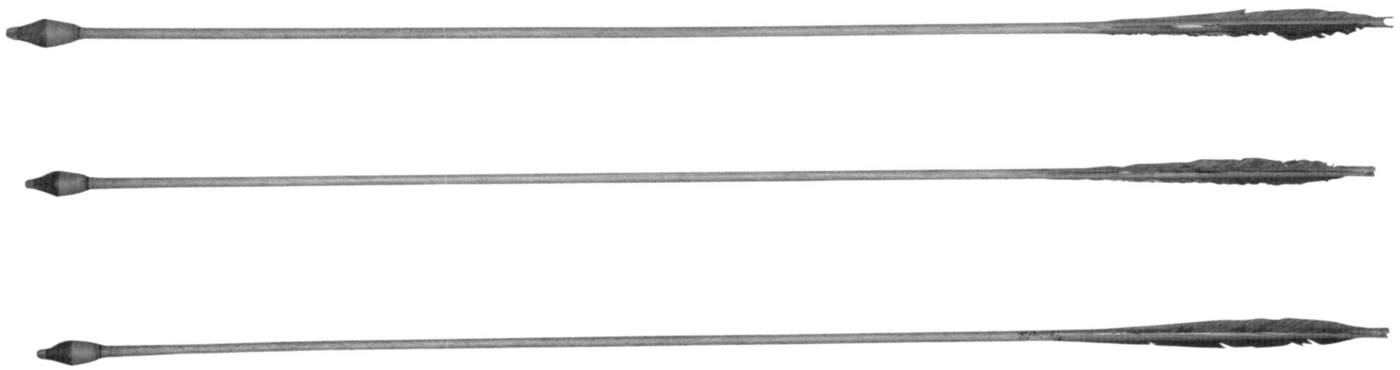

136. 梅花箭

<u>清</u>

<u>长 105 厘米</u>

箭头木质，平头、五棱、呈梅花形。箭杆杨木，栝櫙朱漆，旁裹桦皮，羽脱。

137. 墩子箭

<u>清</u>

<u>长 99 厘米</u>

桦木为杆，杆首微大而平，不加镞，雉羽。主要用来射石上飞禽，习射亦用之。

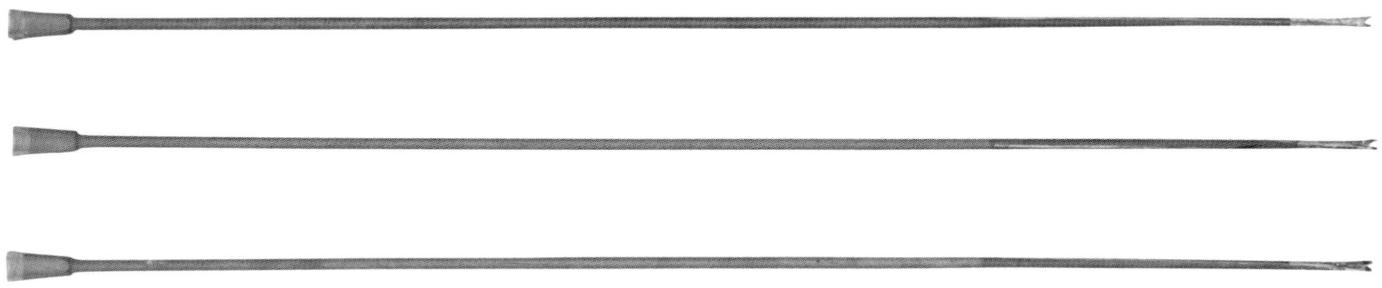

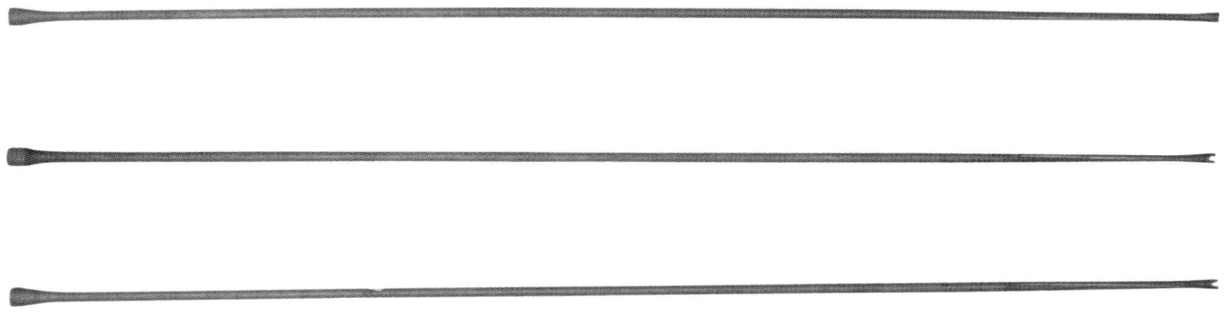

138. 射虎骲头箭

清

长 111 厘米

桦木骲，起棱，环穿四孔。杨木为杆，花雕羽。主要在行围时驱逐卧虎，使其起身。

139. 银丝花缎嵌红宝石橐鞬

清

橐长 36 厘米　宽 22 厘米　鞬长 76 厘米

橐鞬皆银丝缎制成，绿皮边，上饰花叶纹，镶嵌铁镀银镂雕夔龙纹饰件，上镶嵌红色宝石。附黄绒绦带一根。

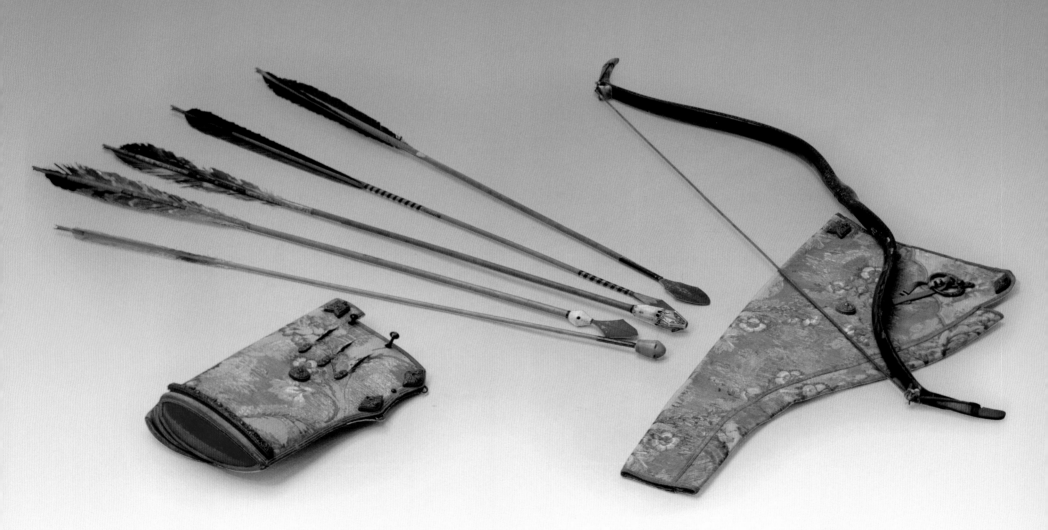

140. 绿呢嵌铜八宝櫜鞬

清

櫜长 27 厘米　宽 21 厘米　鞬长 69 厘米

　　櫜鞬皆为绿呢制成，绿牛皮边，嵌铜镀金盘肠、法轮、法螺、白盖、双鱼、莲花、宝伞、宝瓶等佛教法器组成的八宝纹饰。櫜底边呈半圆状，嵌铜镀金梅花及乳钉。附绦带一根。

141. 黄皮嵌玻璃櫜鞬

清

櫜长 32 厘米　宽 24 厘米

鞬长 78 厘米　宽 34 厘米

　　櫜鞬皆皮质，镶绿边，由玻璃珠嵌饰组成团花、如意云和花叶等图纹。附绦带一根，铜镀金饰件上嵌绿松石。

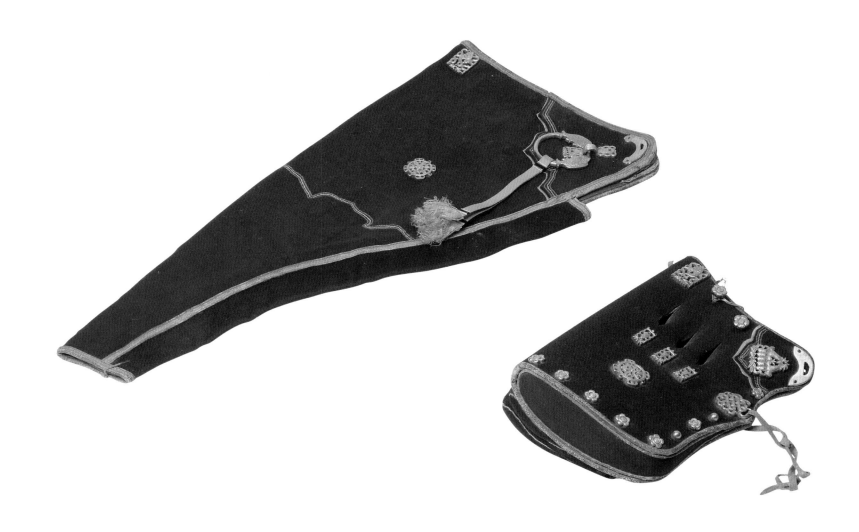

142. 织锦嵌红宝石櫜鞬

清

櫜长 37 厘米　宽 22 厘米　鞬长 80 厘米

　　櫜鞬为月白织锦面，上以银丝饰龙凤、
火珠、暗八仙及如意云纹。鞬角饰红地平金
花叶、云纹，绿皮边。面镶嵌铁镀银镂夔龙
饰件，饰件上均镶嵌红宝石。附绦带一根。

143. 黑皮嵌玉櫜鞬

清

櫜长 38 厘米　宽 21 厘米　鞬长 83 厘米

　　櫜鞬皮质，呈黑色，绿边，嵌铜镀金饰件，
饰件随形包嵌和阗白玉。附绦带一根。

144. 黑绒珊瑚珠小囊鞬

清

櫜长 23 厘米　宽 13 厘米　鞬长 42 厘米

櫜鞬黑绒面，绿边，嵌铁镀金镂花饰件，
饰件嵌珊瑚珠。附绦带一根。随櫜鞬有小桦
皮弓一张、箭十四枝。

145. 银丝花缎嵌蓝宝石囊鞬

清

櫜长 36 厘米　宽 21 厘米　鞬长 81 厘米

櫜鞬银丝缎制成，绿皮边，缎面绣花叶
图，镶嵌铁镀金夔龙饰件，饰件上均镶嵌蓝宝
石。附绦带一根。

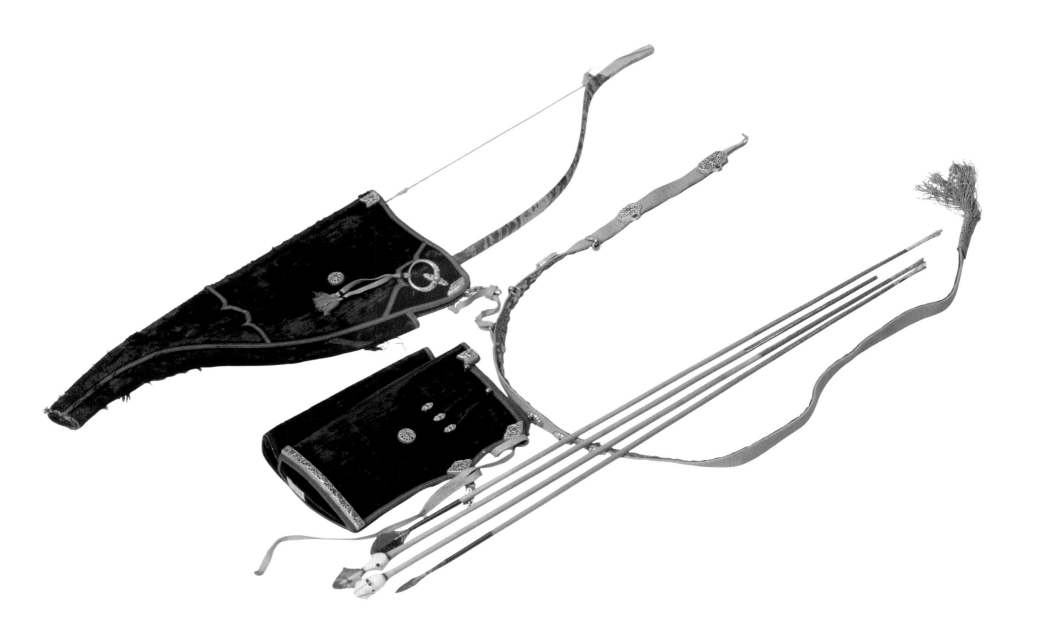

146. 清人画弘历弋飞图

清

纵 258.3 厘米　横 171.8 厘米

　　此图描绘的是乾隆皇帝射猎时的场景。

147. 清人画弘历逐鹿图

清

纵 258 厘米　横 171.8 厘米

　　此图描绘的是乾隆皇帝追逐并准备射鹿时的场景。

148. 清人画弘历挟矢图

清

纵 259 厘米　横 172.2 厘米

此图描绘的是乾隆皇帝射猎时的场景。

149. 清人画弘历射兔图

清

纵 258 厘米　横 172 厘米

此图描绘的是乾隆皇帝射猎兔子时的场
景。

150. 清人画弘历射狼图

清

纵 259 厘米　横 172 厘米

　　此图描绘的是乾隆皇帝追逐并射狼时的
场景。

151. 清人画弘历殪熊图

<u>清</u>

<u>纵 259 厘米　横 171.6 厘米</u>

　　此图描绘的是乾隆皇帝射熊时的场景。

152. 清人画弘历落雁图

<u>清</u>

<u>纵 259 厘米　横 171.6 厘米</u>

　　此图描绘的是乾隆皇帝搭弓射落大雁时的场景。

八旗盔甲

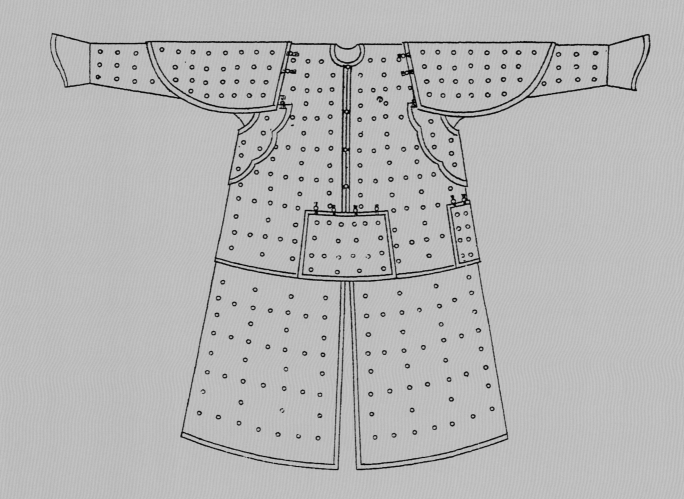

153. 正黄旗盔甲

清乾隆

上衣长 74 厘米　下裳长 76 厘米

　　甲由上衣、下裳、左右护肩、左右护腋、前遮缝、左遮缝八部分构成，穿时由铜镀金纽扣连缀成一体。以绸为面，蓝布为里，内絮薄丝绵，面饰等距铜镀金圆钉。甲通体为黄色。

　　胄为牛皮制成，外髹黑漆，上饰铜镀金箍，璎管铜镀金，葫芦形，周围垂黑色璎穗。

154. 镶黄旗盔甲

清乾隆

上衣长 74 厘米　下裳长 76 厘米

　　甲由上衣、下裳、左右护肩、左右护腋、前遮缝、左遮缝八部分构成，穿时由铜镀金纽扣连缀成一体。以绸为面，蓝布为里，内絮薄丝绵，面饰等距铜镀金圆钉。甲通体为黄色，边缘饰红色。

　　胄为牛皮制成，外髹黑漆，上饰铜镀金箍，璎管铜镀金，葫芦形，周围垂黑色璎穗。

155. 正白旗盔甲

清乾隆

上衣长 74 厘米　下裳长 76 厘米

　　甲由上衣、下裳、左右护肩、左右护腋、前遮缝、左遮缝八部分构成，穿时由铜镀金纽扣连缀成一体。以绸为面，蓝布为里，内絮薄丝绵，面饰等距铜镀金圆钉。甲通体为白色。

　　胄为牛皮制成，外髹黑漆，上饰铜镀金箍，璎管铜镀金，葫芦形，周围垂黑色璎穗。

156. 镶白旗盔甲

清乾隆

上衣长 74 厘米　下裳长 76 厘米

　　甲由上衣、下裳、左右护肩、左右护腋、前遮缝、左遮缝八部分构成，穿时由铜镀金纽扣连缀成一体。以绸为面，蓝布为里，内絮薄丝绵，面饰等距铜镀金圆钉。甲通体为白色，边缘饰红色。

　　胄为牛皮制成，外髹黑漆，上饰铜镀金箍，璎管铜镀金，葫芦形，周围垂黑色璎穗。

157. 正红旗盔甲

清乾隆

上衣长 74 厘米　下裳长 76 厘米

　　甲由上衣、下裳、左右护肩、左右护腋、前遮缝、左遮缝八部分构成，穿时由铜镀金纽扣连缀成一体。以绸为面，蓝布为里，内絮薄丝绵，面饰等距铜镀金圆钉。甲通体为红色。

　　胄为牛皮制成，外髹黑漆，上饰铜镀金箍，璎管铜镀金，葫芦形，周围垂黑色璎穗。

158. 镶红旗盔甲

清乾隆

上衣长 74 厘米　下裳长 76 厘米

　　甲由上衣、下裳、左右护肩、左右护腋、前遮缝、左遮缝八部分构成，穿时由铜镀金纽扣连缀成一体。以绸为面，蓝布为里，内絮薄丝绵，面饰等距铜镀金圆钉。甲通体为红色，边缘饰白色。

　　胄为牛皮制成，外糅黑漆，上饰铜镀金箍，璎管铜镀金，葫芦形，周围垂黑色璎穗。

159. 正蓝旗盔甲

清乾隆

上衣长 74 厘米　下裳长 76 厘米

　　甲由上衣、下裳、左右护肩、左右护腋、前遮缝、左遮缝八部分构成，穿时由铜镀金纽扣连缀成一体。以绸为面，蓝布为里，内絮薄丝绵，面饰等距铜镀金圆钉。甲通体为蓝色。

　　胄为牛皮制成，外糅黑漆，上饰铜镀金箍，璎管铜镀金，葫芦形，周围垂黑色璎穗。

160. 镶蓝旗盔甲

清乾隆

上衣长 74 厘米　下裳长 76 厘米

　　甲由上衣、下裳、左右护肩、左右护腋、前遮缝、左遮缝八部分构成，穿时由铜镀金纽扣连缀成一体。以绸为面，蓝布为里，内絮薄丝绵，面饰等距铜镀金圆钉。甲通体为蓝色，边缘为红色。

　　胄为牛皮制成，外髹黑漆，上饰铜镀金箍，璎管铜镀金，葫芦形，周围垂黑色璎穗。

161. 铁锁子甲

清乾隆

衫长 75 厘米　裤长 92 厘米

　　锁子甲上衫下裤，皆为铁连环相属，衫不开襟，黑皮领。

　　此甲为乾隆二十四年（1759 年）平西域时所获。

鸟枪

中国古代火器，主要包括火箭、火铳、火枪、火炮等等，其发明和使用当在火药出现以后。我国古代的四大发明对人类文明史有着巨大的贡献。火药，最初多用于炼丹和燃放烟火，而应用在军事上，则是后来的事。唐朝末年的"发机飞火"，据北宋初人许洞的解释，就是火箭、火枪之类的东西。

关于管形射击火器的最早记载，是公元 1132 年南宋陈规发明的"火枪"。1232 年金蒙汴京之战，还出现一种筒状"飞火枪"，主要作用是喷射火焰，烧毁对方。两种"火枪"进一步发展，则成为 1259 年南宋寿春府制造的以巨竹为筒、能发射子窠的"突火枪"，其主要特点在于可利用火药燃烧所产生的气压将弹丸（子窠）推出。这样就初步具备了管形射击火器的三个最基本要素：身管、火药、弹丸，应该说它是古代管形射击火器的鼻祖。

元代火铳的出现，是一次历史性的伟大变革，亦将古代兵器的发展和古代战争推向了一个崭新的阶段。火铳，粗大者发展成为炮，细小者发展成为枪。

明代火器犀利，扫逆定边，功不可没，特别是永乐八年（1410 年）"平交阯，得神机枪炮法，特置神机营肄习"（《明史·志第六十八·兵四》）。以后更是威风有加，有"神枪神炮"之誉，在那个时代实不为过，直至第二次世界大战火炮仍被誉为"战争之神"。

清代善骑射，重弓矢，后金时期和清代初期，火器所占比重不大，只是后来才大力发展。

鸟枪之命名，源起于明代，有两种说法：各自从不同的角度来认识鸟枪，其一是从其形态上分析，因最初的火枪是需要火绳点火，所以国外兵书上叫火绳枪，衔夹火绳处翘起的龙头，与禽鸟之鸟首相似，所以叫鸟枪。其二则着眼在其性能上和实际功效上解释，认为其能射飞鸟，故而得名。均有一定的根据和道理。清代一直沿用其名。

鸟枪的种类与性能

《钦定大清会典图》将诸枪总结归纳为交枪、花枪、线枪和奇枪四大种类，并叙述其特征、结构：

交枪、花枪，皆口加照星，中加斗，或于近火门加斗，从斗视星所指以为准，下有床，床视枪微短，窍其端以内搠杖。搠杖用桦木或角，饰以铜或角，长于枪寸许。床下加木叉，曲而前锐；中施横梁、前却惟宜。床面置枪，束以韦三道。

所谓"线枪"，《钦定大清会典图》解释为："不加星斗……不内搠杖，床下无叉而有托"。"星、斗"，即准星和照门；"床"，即整个木枪托；"搠杖"，即俗称的"枪探"或"通条"，用以捣实火药；"叉"，用以保持俯仰射击的角度和射击时的平稳。

上述对交枪、花枪、线枪的解释，按现代标准，都未说到点上，唯有奇枪，还可单独算作一个品种。

古代管形轻型射击火器，如按膛内构造，可分为线膛枪和滑膛枪；按其枪管数量可分为单筒、双筒或多筒枪；按装填弹药的方式，也可分为前装枪和后装枪。

《清会典》等史籍对鸟枪的命名和分类，无科学性，看不出各种枪之间有什么本质的区别。清代火枪枪管在双管以上、线膛、后装式的形制并不普遍，所以按照枪管数量、膛内构造、装填弹药的方式来划分清代火枪的种类显然不合适。御、兵之分，仅仅是工艺、装饰和用材上有所不同，很难说明问题。古代枪械的改进和发展，主要是在枪机部分，其他技术等元素没有或者很少有实质性变化，所以在这里依照发火装置（即枪机）的不同，将清代火枪分为火绳枪、燧发枪和击发枪（初级阶段）三个主要类型。

一、火绳枪

火绳枪的构造比较简单，即变手持火绳点火为火绳枪机点火，这是清代军队装备中最普遍的一种火枪。御用品中也屡见不鲜，它是在火机翘首处（即龙头）夹架一根火绳，使用时先点燃火绳，然后扣动板机，使火绳下落，触燃火门烘药，又迅速引燃枪膛内的火药，产生巨大压力，推促弹丸飞出枪口。

根据现存实物，火绳枪又有普通式、外制动式和内制动式三种：

普通式，枪机通为一体，中部卧藏于枪床内，前部龙头细而短，后部扳机宽而长并且占据重心，上又分起一钢条，当待发状态时，龙头和扳机自然上翘和下垂，一弹发射完毕后，由于后部上方钢条的弹力，又将枪机恢复到待发状态。

外制动式，发射时先将龙头扳起，龙尾则被制动销卡住，然后扣动扳机，制动销内陷，龙尾脱卡随之被压簧弹起，使龙头下落点火，完成发射。

内制动式，同外制动式原理一样，只是不暴露在外。

火绳枪的优点在于技术简单，便于制造和维修而且容易掌握，但操作和使用起来却极为不便，枪手或侍从要随身携带火绳、火镰和火种，再加上火药和弹丸，从装弹药到完成射击，动作繁琐，而且发射速度慢。另外火绳枪时常出现瞎火现象，这种情况无论对于作战还是狩猎都是极为忌讳的。

二、燧发枪

顾名思义，是采用了燧石摩擦、打击发火的原理，把原来属于附件的火石、火镰等发火工具都装到枪上，成为一套结构，即发火枪机。康熙皇帝很喜欢这种枪，在御制五种枪中，就有三种是自来火枪。

燧发枪在清代主要有两种式样，一种是转轮式，一种是撞击式。

轮转式，是以可上弦的钢质带齿转轮为火镰，龙头呈鸭嘴形衔住火石，火石位置或在转轮上方或在转轮前面，扣动扳机，转轮上压簧脱卡，飞快转动摩擦火石生火，遂燃着火药，完成发射。

撞击式，枪机龙头亦呈鸭嘴形衔住火石，扳则起，放则下，前竖钢质火镰，火镰同时又是火门盖，待发状态时关闭，击发时被火石撞开，重新扳机，一铁钩又将其勾回，较好地起到保护火门烘药免遭风雨的作用，扣动扳机，利用内压簧的巨大弹力，使火石与火镰猛烈相撞，发出火星，达到射击目的。

燧发枪在技术上是一大进步，有许多优点，但它的火石需常换，否则击而无火。再者大风之中，火星乱扑，容易一放不燃，极其误事。且其制造困难，工艺复杂，一旦损坏或失控，修理起来也很费事。

三、击发枪

清文献和档案上称之为"铜帽枪"。它的火门采用完全闭锁式，上装螺丝母固定一个小宝塔形嘴，再装内含击发火药的铜质火帽，这样就彻底解决了防风雨的问题。龙头端首内陷略大于火帽径，靠大小压簧加大龙头向下砸击的力量，完成点火过程。这一优点使得击发枪使用更加简便，射击精度也得到进一步的提高。击发枪这种新产品存世的时间很短暂，即刻被击针式步枪所取代，而恰恰就在这个非常短暂的过渡时期，在中国这块土地上曾批量制造生产。

击发枪比火绳枪和燧发枪先进、便利了许多，它不再需要火绳，不再需要烘药（即引药），不再畏怕风吹雨淋，它的问世和使用，使古代轻型管状射击火器——火枪的制造，达到了炉火纯青的地步，它的击锤"叩"开了近代击针式步枪的大门，结束了一个时代。

四、其他先进火枪

故宫博物院现藏清代各式火枪诸多，其中不乏先进优良者，且大多为康乾遗物。许多火枪在技术方面有其革新与探索，在提高火枪性能和先进程度方面做出了新尝试，为清代轻武器的发展做出了新贡献。

（一）线膛火绳枪

枪管内拉有直线膛，直线膛是来复线的先声，很显然这是为了减少摩擦，便于装填弹药，提高射速和射击精度，使弹丸飞行得更直更快，增强侵切力。很可惜数道直膛线由于开槽较深，未解决火药气泄漏的问题，而使用这种枪要将弹丸缠上棉布、麻布或富有弹性的毛织物，然后用搠杖将缠物弹丸冲打入膛底，使缠物径向膨胀紧贴膛壁，这样就又增加了许多麻烦。但是不管怎样，线膛枪设计者的出发点及动机意图总是好的、可取的，可以说没有直膛线的尝试，就没有以后的来复线、来复枪。

（二）双筒火绳枪

双枪管叠铸落置于枪床上，枪管底部左右各开一个火门，两个点火装置亦分左右，扣动扳机，双筒同时发火，从而增强杀伤威力。另外，此枪枪托后部还开有弹仓，一次可存贮弹丸 10 粒左右，取用也很方便。无疑，这种设计就是为了增加枪的攻击力量，以强大的火力压制、消灭对方。

（三）带保险火绳枪

此枪为内压簧制动式，枪机处系一块石质斜三角，平时用斜三角塞紧龙头，即使偶尔疏忽碰动扳机，龙头也不能下落点火，从而达到相对"保险"的目的。这种方法简便易行，初步解决了安全问题，有利于行军，防止误伤，便于采取偷袭和隐蔽等军事行动。

（四）火绳燧发合用枪

这是一种将火绳枪机和燧发枪机合并一起使用的火枪，燧发枪机是轮转式，扣动扳机，两种发火装置一前一后同时向火门发火，防止一种发火机失灵或出现故障而影响发射。这种枪，查考中外武器发展史，目前尚未再见，确有它独到之处。

（五）奇枪

如果说上述各种火枪可以归类为前装枪（即火药和弹丸从枪口装入）的话，那么奇枪就可以算作后装枪。奇枪之奇，就在于它的枪管与枪柄结合部可以开圉（类似我们现在常见的气枪、猎枪），发射使用时，将枪柄掰开从枪管后部装入子枪，再将枪柄合紧，扣动扳机，火绳点燃子枪上的火门，一次发射完毕，用过的子枪（弹壳）退膛，马上再换一发新子枪，使得在战争炽热之时，火力不会或很少有间隙。这种装填方法，提高了射速，对于清代火枪来说是一次革新创举和一项非常有意义的尝试，它代表了古代管形射击火器改革发展的方向。

鸟枪与木兰秋狝

清代皇帝特别是康熙、乾隆两帝，常用鸟枪进行狩猎活动，其规模之大，收效之广，在历史上曾留下深刻印迹，康熙皇帝说：

朕自幼至今（康熙五十八年 1719年），凡用鸟枪、弓矢获虎一百三十五，熊二十，豹二十五，猞猁狲十，麋鹿十四，狼九十六，野猪一百三十二，哨获之鹿凡数百。其余围场随便射获诸兽不胜纪（记）矣。朕曾一日内射兔三百一十八，若庸常人毕生亦不能及此一日之数也。（《钦定大清会典事例·兵部·行围》卷708）

康熙皇帝狩猎的目的，在于训练军队，加强武备，显示实力和武功。乾隆皇帝全方位效法其祖，不敢稍有落后，曾深刻总结道：

古者春搜、夏苗、秋狝、冬狩，皆因田猎以讲武事。我朝武备超越前代，当皇祖时，屡次出师，所向无敌，皆因平时训肄娴熟，是以前有勇知方，人思敌忾，若平时将狩猎之事废而不讲，则满洲兵弁习于晏安，骑射渐至生疏矣。（《钦定大清会典·兵部·行围》卷708）

乾隆在这方面的"御旨"、"圣训"还有很多，而实际行动，的确也做了不少，从故宫现存部分铅子实物综合记载，我们可领略当年乾隆大帝驰骋猎场的雄风。

乾隆皇帝25岁登极，85岁归政，从乾隆六年（1741年）开始，以后几乎连年不断地进行"秋狝"活动，直到乾隆六十一年（1797年，嘉庆皇帝入承大统后，宫内仍沿用乾隆年号，至乾隆六十四年止），86岁高龄时，还在持枪击

射。自乾隆三十五年（1770年）之后，也就是乾隆步入老年（60岁）之后，基本上是在避暑山庄内活动，身体情况允许，偶而也到离热河行宫较近的围场转上一遭。其经常使用的枪支，主要是虎神枪、旧神枪、花准神枪、花准枪四种；所获之物，主要是虎和鹿，也时有鹭鸶等物；所涉足之围场，几近木兰围场的半数。

木兰围场，在今承德地区围场满族自治县内。康熙二十年（1680年）设置围场，总面积达一万多平方公里。皇帝行围时，常有蒙古王公参加，通过狩猎、宴赏、会见等一系列活动，以团结蒙古各部，达到"合内外之心，成巩固之业"的政治目地。所以说热河行宫，也是当时中国的第二政治中心。

围场内又划分12围72处，这些围场目前多已不存在或名称改变。乾隆皇帝每每"岁幸木兰"的这些战绩，总要有专门人员负责将射中猎物的子弹（铅子）拣回，一一进行清洗登记，码放在精制的楠木匣中，上锁封存，以示武功卓著，并告诫子孙，将"秋狩"古制发扬光大。可惜的是，自嘉道以后，木兰围场逐渐荒芜废弃。

乾隆皇帝岁岁行围，最喜欢使用的枪支是虎神枪，而其意义又远远超过虎神枪本身。乾隆帝于壬申年（1752年）特作《虎神枪记》并立碑于围场骆驼头村月亮西沟，其记曰：

虎神枪者，我皇祖所贻武功良具，用以殪兽也。国家肇兴东土，累洽重熙，惟是诘戎扬烈之则守而弗失。皇祖

岁幸木兰行围，诸蒙古部落云集景从，予小子虽不敏缵承文志，其敢弗覆。故数年以来。巡守塞上，一如曩时，蒙古藉灵四十九旗及青海、喀尔喀之仰流而来者，亦较前无异焉。若辈皆善射重武，使无以示之，非所以继先志也。围中有虎未尝不亲往射之，弓矢所不及，未尝不用此枪，用之未尝不重。壬申秋于岳乐围场中，猎人以有虎告而示之见也。一蒙古云，虎匿隔谷山洞间，彼亲往见之，相去盖之百余步。朕约略向山洞施枪，意以惊使出耳。乃正中虎，虎咆哮而出，负嵎跳跃者久之，复入。复施一枪，则复中之，遂以毙焉。盖向之发无不中，乃于溪谷丛薄，目所能见之地，斯已奇矣。而兹岳乐所中，则隔谷幽洞并未见眈眈阚如之形，于揣度无意间，番复焉，深入不够时，而殪猛兽，则奇这最奇。其称为神良有以也。夫万乘之尊，讵宜如孟克特库之流，夸一夫之勇哉。而习武示度，必资神器以效奇，而愉快则是枪也，与兑戈和弓同为宗社法守，不亦宜乎。(《钦定大清会典图·武备》卷 98)

这里所说的"皇祖"，是指康熙皇帝。乾隆行围打虎的意义在于"继先志"而"习武"，这些均为"宗社法守"，不可稍有怠慢，不可使江山"守而弗失"。

康熙的儿子，乾隆的父亲，夹在两帝之间的雍正皇帝，忙于军机国政，无暇秋狝，论及"射技"亦自愧不如其父，"皇考神武天授，楗强贯札之能，超越千古，众蒙古见之，无不惊服。而朕之射技，不及皇考矣。"但又淳淳告诫。"后

世子孙，当遵皇考所行，习武木兰，勿忘家法"(《清世宗宪皇帝实录》卷 49)。

"勿忘家法"，乾隆皇帝做到了。嘉庆皇帝在位二十几年，满怀"敬承祖考，肄武习劳，有举莫废"之志(《清仁宗睿皇帝实录》卷 133)，勉勉强强举行了十来次秋狝大典，但亦难拯救木兰围场"日渐废弛"的局面。

道光时期，随着国势的江河日下，盛行了近二百年的木兰秋狝大典逐渐废止。

戴梓与连珠火铳

戴梓(1649 年~1726 年)，清初浙江人，平定三藩叛乱时，以"布衣"身份从军。精于诗画，通晓天文算法，更善制火器，因博才多艺，曾赢得康熙皇帝的赏识，命以学士衔值南书房，官至翰林院侍读，后遭诬陷褫职，流放关东，死于铁岭。

据文献记载，戴梓曾学习、参照西洋制造火器的先进技术，先后制造过几种火器，对中西科技文化比较交流做出了突出贡献，较有影响的有"子母炮"(又称"冲天炮")、"蟠肠鸟枪"、"连珠火铳"等等，这在当时都是很先进的武器。

戴梓的连珠火铳，比起其他火器来，更为著名，对当时和后世的影响都很大。近几十年来诸多书籍在论及戴梓时，将连珠火铳归为机枪一类，甚至称其为现代机关枪

的鼻祖，给于极高的评价，然而对于其结构、性能和射击原理等方面都未能具体阐述。如果戴梓的连珠火铳真是机关枪的话，那比马克西姆机枪提前了一个多世纪，当惊世界。

最早记载有关戴梓连珠火铳的文献，是清代乾嘉时期著名学者纪昀（纪晓岚，1724年~1805年）所撰《阅微草堂笔记》一书。书中记载，纪昀在与戴梓的后人戴遂堂的交谈中得知此事的：

言少时见先人造一鸟铳，形若琵琶，凡火药铅丸皆贮于铳脊，以机轮开闭。其机有二，相衔如牝牡，扳一机则火药铅丸自落筒中，第二机随之并动，石激火出而铳发矣，计二十八发，火药铅丸乃尽，始需重贮。

请注意上文称戴梓制造的是"鸟铳"，并没有出现连珠火铳一词。光绪十六年（1890年）李桓编《国朝耆献类征初编》中道：宗室昭梿说戴梓曾向康亲王献"连珠火炮法"。由此改"鸟铳"为"连珠火炮"。赵尔巽等在1928年成书的《清史稿·戴梓传》中，正式命名"连珠火铳"，又将"炮"改"铳"，该书除照录《阅微草堂笔记》里有关此铳形制的记载外，还进一步得出"法与西洋机关枪合"的结论。后人均依此说谈开来。

首先应当正名，戴梓的连珠火铳应为鸟铳或鸟枪、火枪。诸书记载，应以纪昀的为准。民国初年，机关枪广为使用，赵尔巽等用当时机枪的概念，框套"连珠火铳"，更欠妥当。

"火铳"是明代对金属型管形射击火器的统称。凡是火枪、火炮等一类的火器，不论大小、轻重，都可以称火铳或火炮。清代则完全不同，虽也有曰铳者，但已明显将枪、炮区别开来。凡炮之属，不再称铳，对于枪，多称鸟枪，而野史杂记中又常有鸟铳、火枪之称谓。铳，仅仅指鸟枪或者更小形的金属管形射击火器而言。所以戴梓的鸟铳就是鸟枪。

从《阅微草堂笔记》的记载来看，戴梓的鸟铳早已亡失，无实物可以研究考证，从字句表面分析似乎有些自动兵器和机关枪的味道，这是后人得出机关枪结论的最主要、最关键的依据，但把当时的历史条件、生产力水平、机械发展的客观规律、科学技术状况等认真加以考虑、分析，并对戴铳作反复的推敲、研究，甚至于模拟试验，就会得出与之相反的比较符合事实的结论。

故宫博物院现存珍藏有一杆清代康熙初年外国进献的鸟枪，构造与《阅微草堂笔记》的记载十分相似。可以让我们进一步认识和了解戴梓鸟铳到底是一种什么样的新奇武器以及两枪之间的异同。

此枪的结构特点和使用方法如下：

在枪床上开有弹仓和火药仓。弹仓由后托尾部直通机轮处，可装填20发圆弹丸，圆弹仓盖可旋转开合。火药仓在弹仓下部长方形亦有一孔通机轮处，上有铜盖可启闭。

枪身中部即枪膛尾部安装有一可转动的铜机轮，略呈圆锥形，可随时卸下清理，装入枪身锥孔严丝合缝，机轮上有两个小圆孔，可存一弹丸和火药。机轮左端有一四方螺母，上装扳手；右端出一细柄，上留有引药槽，火门在一端通过机轮内部与贮火药孔相通。

枪身锥孔内壁后部有上下两孔。上为出弹孔，下为出药孔，前部有一孔，即枪膛底孔。枪机采用撞击式燧石发火。机体亦带引药仓。

使用时，先将机轮上的小圆孔对准出弹孔和出药孔，枪口略向下倾斜，使弹丸滚入弹孔，火药和引药分别填满孔槽；然后将枪持平，左手向前扳动扳手，使机轮转动半周，弹丸率先进入枪膛，再向前转，将火药孔对准枪膛底孔，这时恰好引药槽亦向上以待燃。扳起枪头，扣动扳机，燧石猛烈撞击火镰，引燃火药，将弹丸射出。最后再将扳手继续向后转，使机轮恢复倒装弹药位置。如此反复，直至 20 发弹丸依次射出。

昂里哑国枪与戴梓鸟铳对比，有惊人的相似之处：

"凡火药铅丸皆贮于铳脊以机轮开闭"，即指将弹药贮于枪床内微上部，所以曰"脊"，用枪机转动来控制；"其机有二"，即指机轮和扳机；"相衔如牝牡"，"牝牡"指雌性和雄性动物，古书上也常指动物乃至人类的生殖部位，这里指机轮与枪身的结合像雌雄性动物的交合，比喻的十分形象。时至今日在机械制造业和机械零配件中，还经常将"轴孔相合"，俗称为"公母相合"，如"螺母"等；"扳

一机则火药铅丸自落筒中"，即指用扳手转动机轮，将弹药入膛；"第二机随之并动"，应为用左手扳动机轮后，随即用右手扳机头或枪机，而不应理解为由左手扳动机轮后，枪机就自动击发了；"计二十八发"，这是戴梓与昂里哑国枪唯一不同之处，然而这很简单，只需加长弹仓就可以做到，并无实质差别。

昂里哑国枪是康熙初年进献给皇帝的，戴梓很有可能是依照这种枪而作出连珠火铳。戴梓仿造外国火枪有很多次，据《国朝耆献类徵初编》记载，康熙二十五年，"红毛国"（荷兰）进献蟠肠鸟枪，康熙皇帝为显实力，脱口说出中国也有。遂命戴梓加紧仿造，很快研制成功，并以十杆同样的蟠肠鸟枪返赠给那个"红毛国"人，让他带回去。

戴梓鸟铳，即然是仿制的昂里哑国枪，"连珠"还说得过去，但绝对不是机关枪。

当今世界各国对机关枪的解释是"可连发的自动枪械"。自动机械是一种比较复杂的机械系统，是枪械制造发展到一定水平后的产物。它应是彻底解决了从枪膛后部连续装填定装枪弹和使用击火法用于枪机以后才成为可能的，而这些技术都是 19 世纪以后陆续出现的。康熙、戴梓时代（17 世纪），中外军队装备的差不多都是前装火绳枪和燧发枪。对机关枪那种较高的技术和加工要求，康熙时期难以实现。

戴梓鸟铳在构造上有它新奇独到之处，它的主要优点

在于枪托上设置了弹仓和药仓，而且可以通过反复扳动机轮，将弹药从枪膛后部装入，这也是古代火枪后装化发展趋势的一次非常有意义的尝试，大大简化了装填弹药的过程，显然也大大提高了发射速度。机枪设计巧妙，转动灵活，解决了多次装填的问题。转轮采用铜质耐磨损而间隙掌握得适中，以防止药气外泄，但有一个重要缺陷，即装药量少且松散，无法捣实，因发射时爆发力不够，势必影响枪的射程和威力。

鸟枪的种类

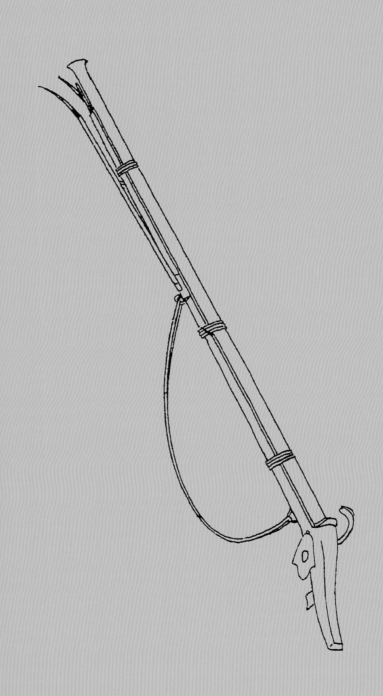

162. 奇枪

清康熙

通长 126 厘米　口径 1.3 厘米

枪管后径 2.2 厘米

　　枪管铁质，八棱，枪筒与枪托以螺丝相连，可开合。

163. 双筒火绳枪

<u>清康熙</u>

<u>通长 166 厘米　口径 1.3 厘米</u>

　　枪管双筒铁质，四棱，带准星、望山，双火机。枪管上鋄金花卉蕉叶纹。枪床木质，前、中、后三处包嵌铁鋄金镂雕花卉夔龙纹饰，枪体以三道皮箍加固。枪床前部附木叉，叉尖饰象牙。

164. 寿字火绳枪

<u>清</u>

<u>长 132 厘米　内径 1.4 厘米</u>

　　枪管铁质，带准星、望山。枪床包饰银叶錾有寿字、卷草纹、花卉纹，下附铁搠杖一根。枪体以三道银箍加固。

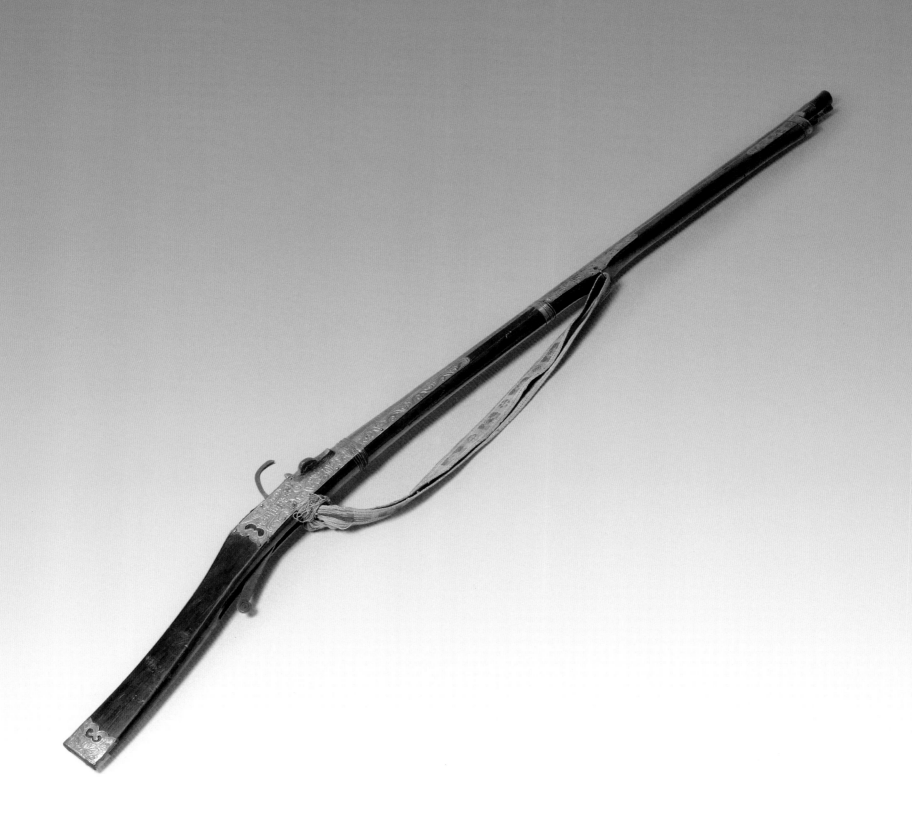

165. 燧发枪

清

长 176 厘米　内径 1.6 厘米

枪管铁质，前圆，后四棱，带准星、望山。下附铁搠杖一根，枪管通体錽金花卉，枪床木质，火机后脊处嵌铜质人物头像，侧面镶嵌铜镀金行龙一条。枪托处包嵌铜叶，上雕花卉卷草等图案。

166. 扣刨击发枪

<u>清</u>

<u>长 132.5 厘米　内径 1.2 厘米</u>

　　枪管铁质，前圆，后四棱，带准星、望山。枪床以二道铜箍加固，火机为扣刨击发。

167. 火绳燧发合用枪

<u>清</u>

<u>通长 88.5 厘米　口径 1.7 厘米</u>

　　枪管铁质，前圆，后棱处镌蕉叶纹，带准星、望山。枪管下附木搠杖一根。枪管处镌刻 "Ufour"。

木兰秋狝中的鸟枪

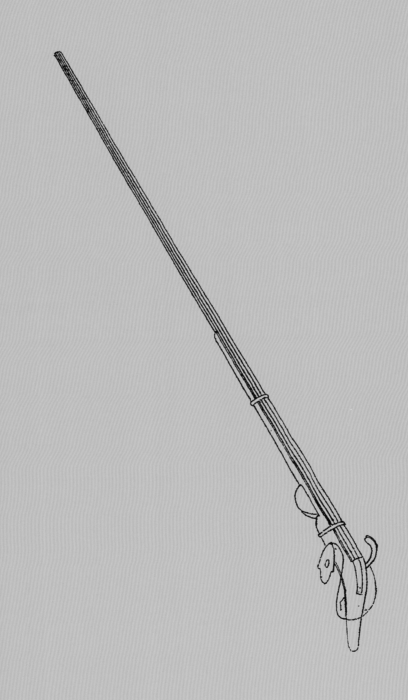

168. 十喜花镗锜子枪

<u>清乾隆</u>
<u>通长 149.5 厘米　口径 1.7 厘米</u>

　　枪管铁质，鋄金喜字、夔龙、蝙蝠纹，膛内有直行膛线。带准星、望山，望山呈蝙蝠形。下附木搠杖一根。枪床木质，下两木叉呈旋纹状，嵌白玉如意花卉纹。火机周围嵌银片，饰喜寿字、如意云、蝙蝠纹。枪托两侧嵌铜质云龙火珠纹，另嵌三朵螺钿花、三朵铜质梅花、一朵银质梅花。下部嵌一铜质喜字，上刻"用药二钱　铅丸五钱二分　一百弓有准"。底部嵌象牙，牙面镌一喜字。枪体以四道银箍加固。附牙牌"十喜花镗锜子枪"。

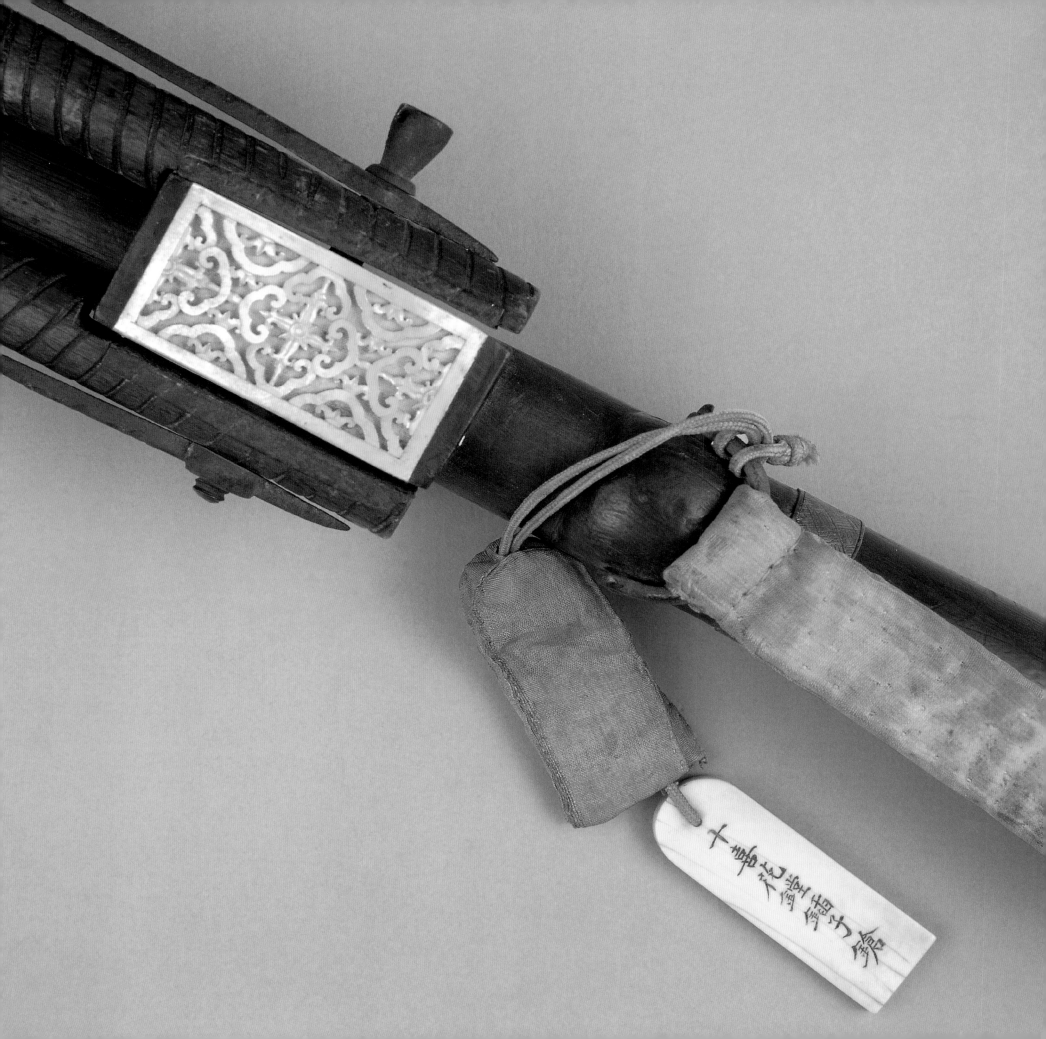

169. 叉子枪

清乾隆

长 168 厘米　内径 1.4 厘米

　　枪管铁质，后四棱，带准星、望山，枪口
有错银卷草纹。火门处附通篇，阴雨天可作
遮盖，象牙扳机呈圆球状，上镌团兽纹。枪床
木质，附搠杖一根。下附两木叉，外包象牙、
犀角，间隔排列。底部包银片。两木叉连接
固定处嵌饰象牙蝙蝠、团寿图案。枪体以七
道铜箍加固，每箍饰蝙蝠、卷草纹。周围嵌
牙质云、蝙蝠、龙、火珠、蝴蝶、花卉、卍、
寿、喜字等纹饰及珊瑚一颗。

　　附象牙牌，一面镌"叉子枪"；另一面镌
"重三斤四两　长三尺九寸　用药一钱七分　铅
丸重三钱四分　一百弓有准"。

170. 燧发小手枪

清乾隆

长 46 厘米　内径 1.4 厘米

　　铁枪管，带准星，一道银箍加固，银叶上錾花卉纹。火机侧处镌西洋文，字迹不清。扳机护叶及枪托底部包嵌铜叶。附皮签，墨书满蒙藏汉文，字迹模糊，唯可识"乾隆五十五年　鸟枪一杆"。

171. 和硕醇亲王进莲花口排枪

清光绪

长 147 厘米　内径 1.3 厘米

　　枪管铁质，头呈莲花状，下附搠杖一根。枪体以五道银箍加固。附牙牌，一面镌"和硕醇亲王臣奕譞跪进"；另一面镌"莲花口排枪　枪重四斤八两　长三尺三寸　药重二钱　铅丸重四钱　一百弓有准"。

　　醇亲王奕譞，同光年间曾负责管理神机营。

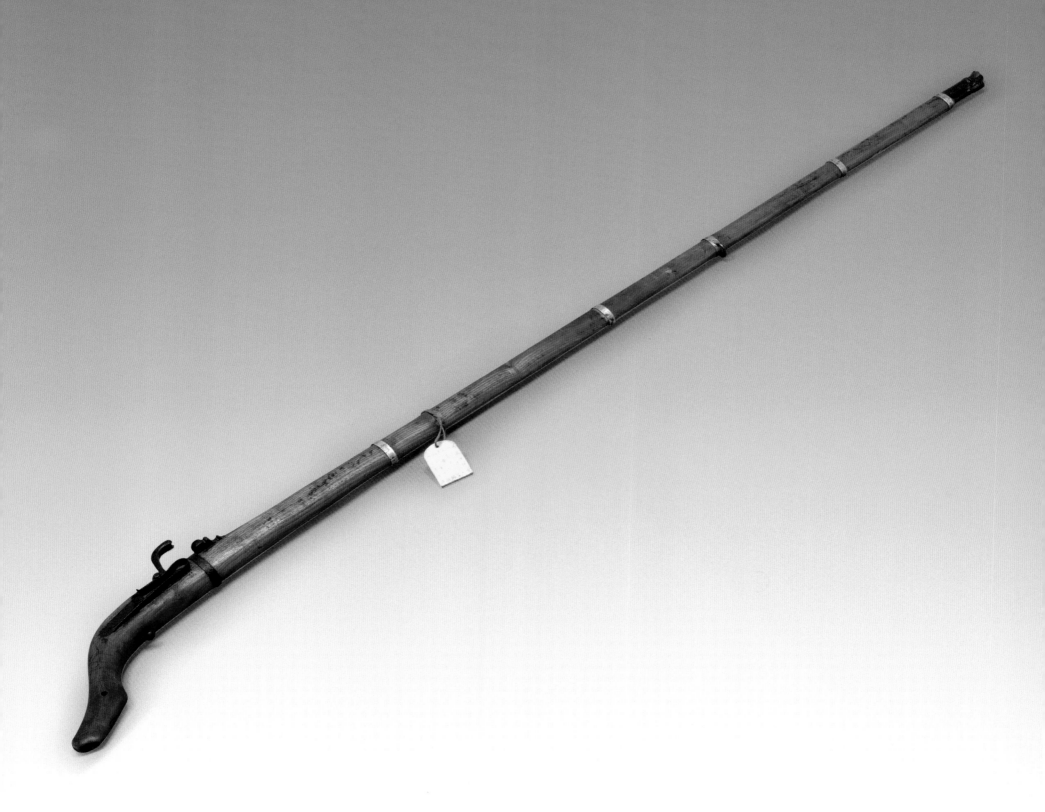

172. 四筒火枪

<u>清</u>

<u>长 110 厘米　内径 1.3 厘米</u>

　　枪管四筒铁质，枪口内径相同，带准星、
望山，双扳机。下附木搠杖一根。枪管火机
处银叶片上镌卷草花叶动物纹。枪托附纸签，
墨书"四眼枪一杆"。

173. 霍硕特贝勒进燧发枪

清

长 114 厘米　内径 1.6 厘米

枪管铁质，通体鋄银花叶，带准星，下附
搠杖一根。附皮签，墨书满、蒙、藏、汉文
"（残）十七日　霍硕特贝勒德勒克悟巴什恭进
鸟枪一杆"。

霍硕特，即蒙古阿拉善霍硕特旗，曾多
次协助清政府平息准噶尔诸部叛乱。

174. 铁交枪

清

长 148 厘米　内径 1.3 厘米

枪管铁质，后部饰鋄金云龙火珠纹，带
准星、望山。下附木搠杖。枪床底部加桦木叉，
叉尖饰角。枪体以一道皮箍加固。

175. 铁鋄金龙纹火绳枪

清

长 100 厘米　内径 0.9 厘米

　　枪管铁质，前圆，后四棱处鋄金二龙戏珠、海水江崖纹，带准星、望山。枪管头部六棱形，每棱面上鋄金云龙纹各一。火机饰鋄金云龙纹等。枪托两侧嵌象牙梅花。枪体以四道银箍加固。

176. 自来火手枪

清

长 40 厘米　内径 1.3 厘米

　　枪管铁质，四棱，带准星、望山。附铁
搠杖一根，扳机护叶包嵌铜叶，上錾花卉蕉叶
纹。枪托底部包嵌铜叶，中有一圆铜盖，开闭
自如，内贮铅弹。火机为扣刨击发。

177. 御用盛弹匣

清乾隆

　　盛弹匣为楠木质，铅质弹丸附白色鹿皮
签，上墨笔楷书记载狩猎日期、围场名称、
猎物名称、弹丸所属火枪名称以及弹丸的重
量，外紧裹黄绸缎，整齐码放于屉中。

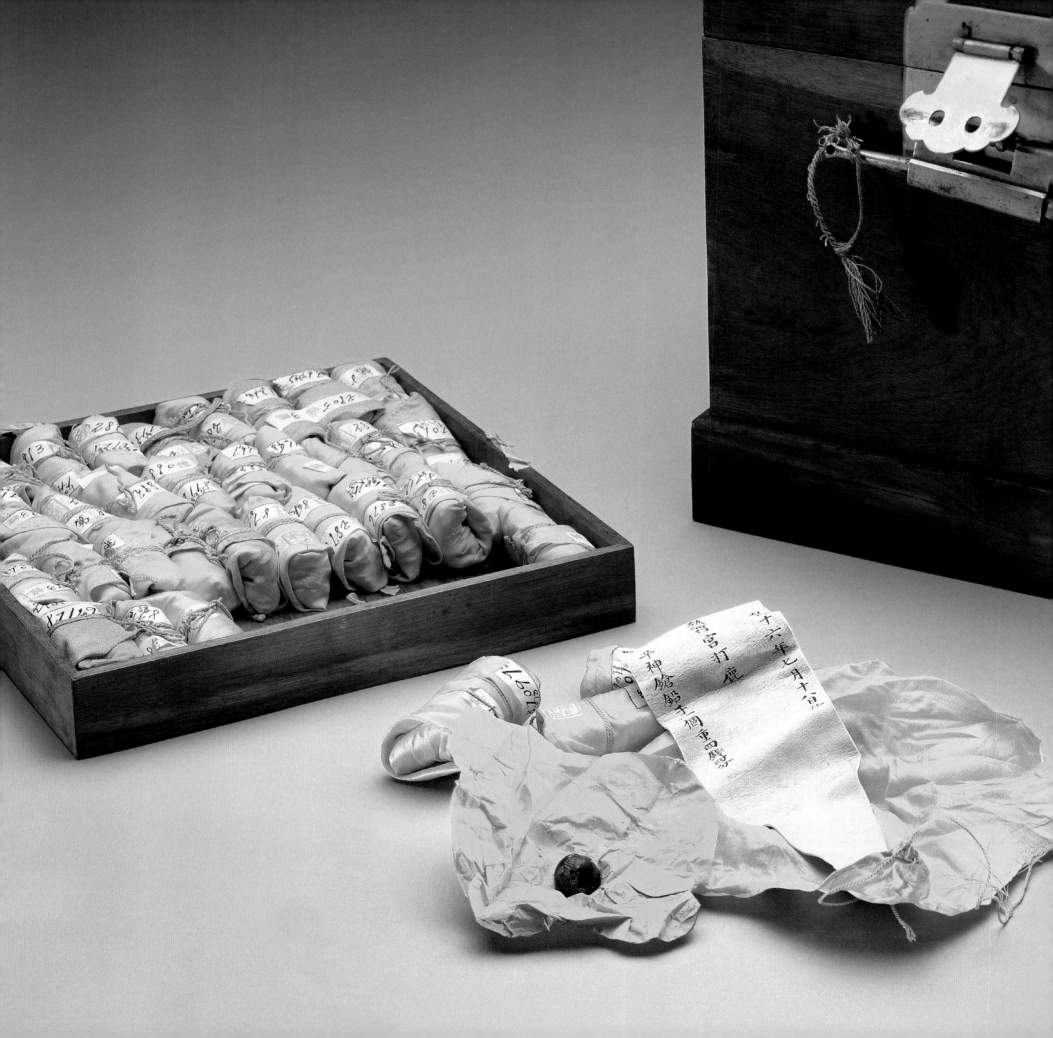

178. 郎世宁画乾隆射猎聚餐图

清乾隆

纵 317.5 厘米　横 190 厘米

　　此图描绘的是在围猎进行中，乾隆皇帝
与众人一起休息聚餐时的场景。

179. 清人画弘历丛薄行围图

清乾隆

纵 424 厘米　横 348.5 厘米

　　此图描绘的是乾隆皇帝在行围中，于丛
林之中遇一只母虎与三只小虎。虎枪手击毙
三只，侍卫贝多尔生擒一只。适逢布鲁特部
前来观见，乾隆皇帝十分高兴，特作《丛薄行》
一诗记述此事，并作画以记之。

180. 清人画弘历猎鹿图横轴

清乾隆

纵 127.5 厘米　横 169.7 厘米

　　此图描绘的是乾隆皇帝率众围猎鹿的场
景。

181. 徐扬画弘历虎神枪记图

清乾隆

纵 185 厘米　横 169.7 厘米

　　此图描绘的是乾隆皇帝用虎神枪围猎猛
虎时的场景，画上有大臣徐扬敬录的乾隆御
制《虎神枪记》文。

鸟枪

西洋进贡火枪

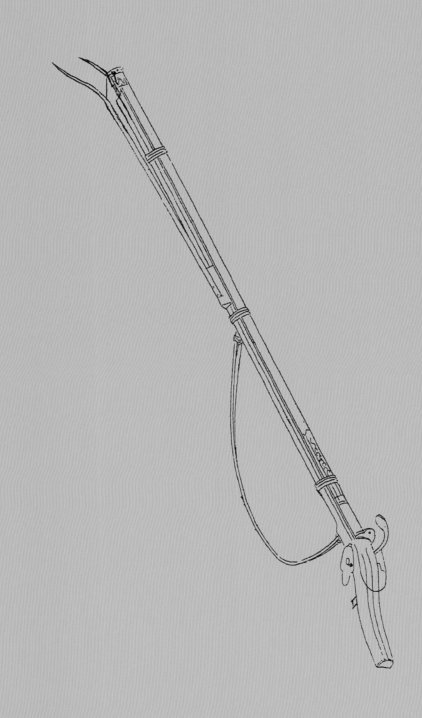

182. 琵琶鞘燧发枪

清康熙

通长 108.5 厘米　筒长 66 厘米

内径 1.6 厘米　外径 2.2 厘米

枪管铁质，带准星，机头嵌饰银片，上镌花纹。框架包铁梁，上镀金花纹饰。虎斑木托，侧面錾刻英文"ROBERT SMITH"及人物卷草纹。枪机为燧石发火装置。附长方木牌，正反面墨书满汉文"康熙年间库贮　二等自来火二十出琵琶鞘枪一杆　系昂里哑国枪"。

康熙年間庫貯二等
二十出琵琶鞘鎗
里亞國鎗
一

康熙年間庫貯二等
二十出琵琶鞘鎗一
里呀國鎗

183. 马嘎尔尼进献自来火枪

清乾隆

长 159.5 厘米　内径 1.6 厘米

　　枪管铁质，带准星、望山，下附搠杖。枪床木质髹漆。枪整体鋄金，嵌银丝西洋花草、花篮、星月、刀剑、弓箭、斧钺、盔甲、枪炮、盾、旗等纹饰。枪管镀金处镌英文"H·W·MORTIM □□ LONDON MAKER TO HIS MAJESTY"，字迹模糊。附皮签，墨书满、蒙、藏、汉文"乾隆五十八年八月　英吉利国王热沃尔日恭进　自来火鸟枪一杆"。

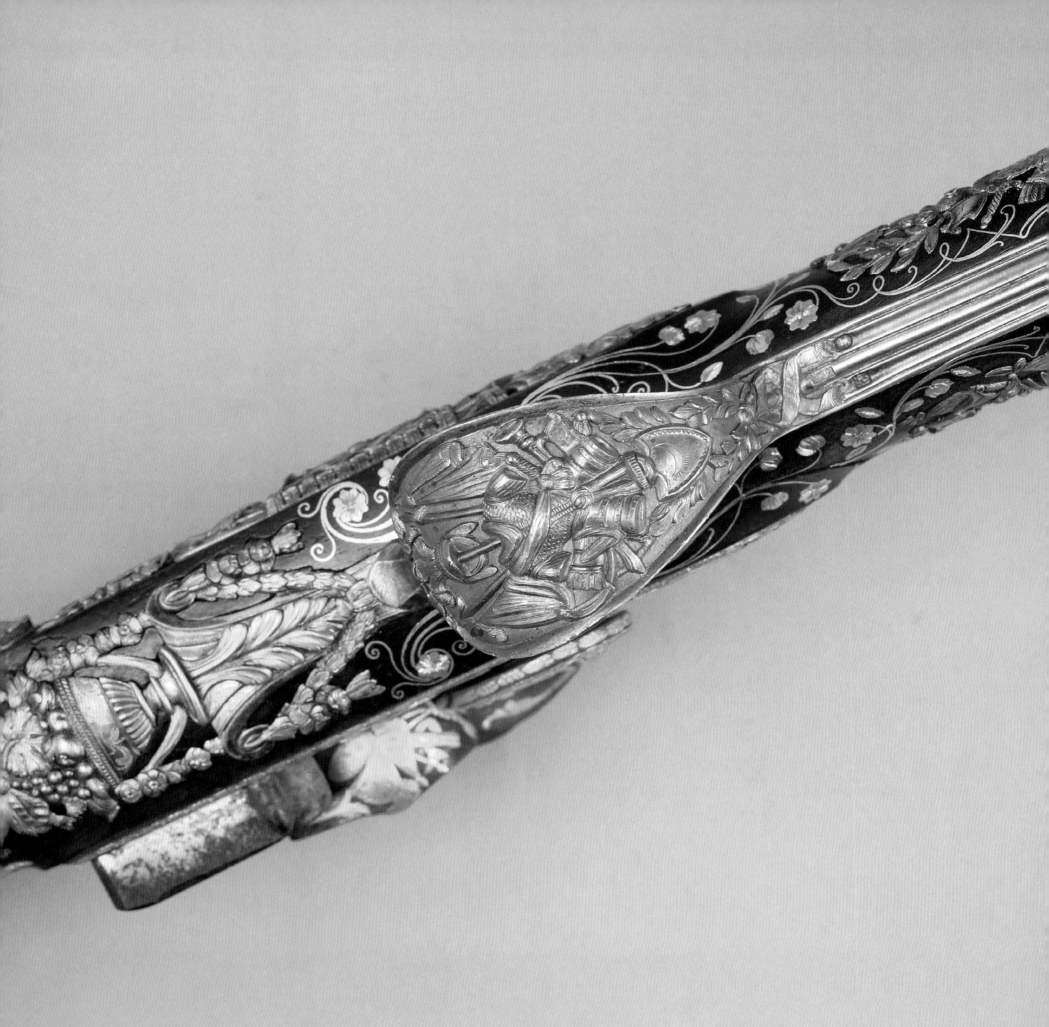

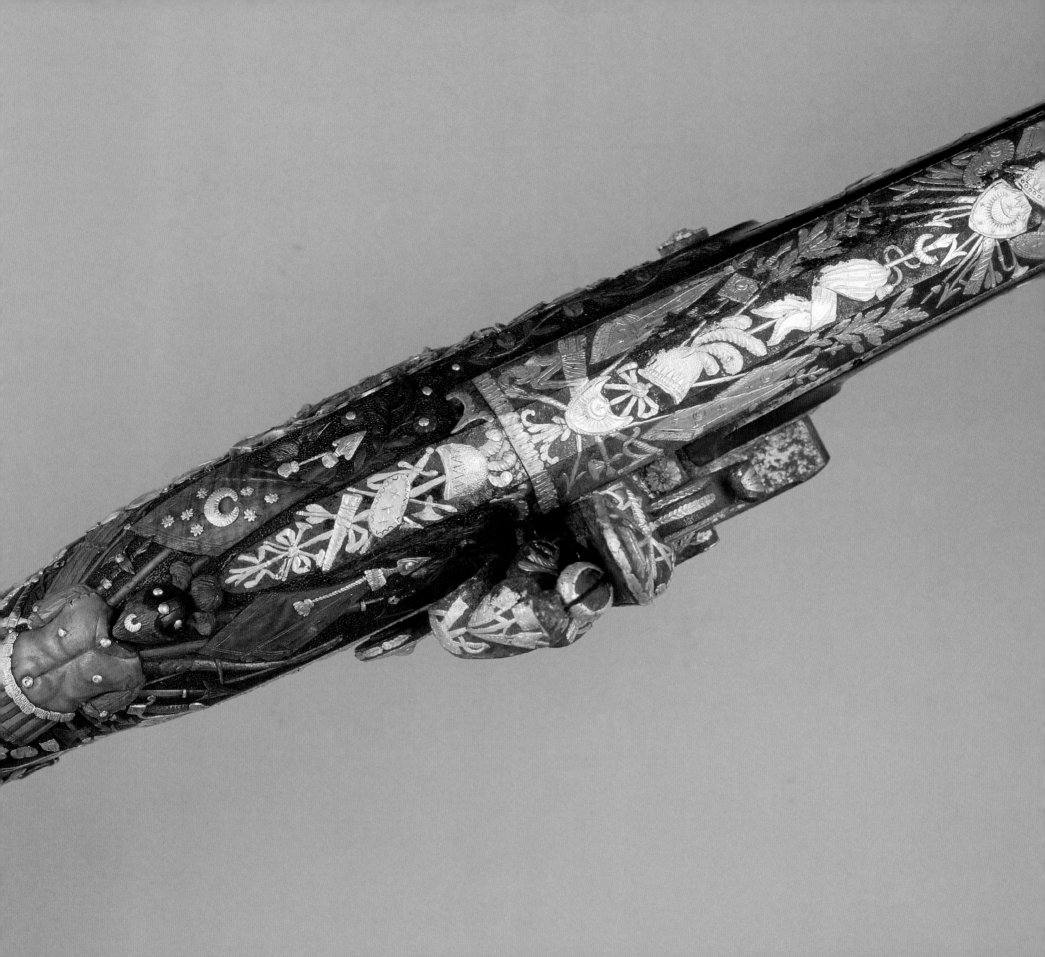

184. 荷兰改鞘枪

<u>清乾隆</u>

<u>长 180 厘米　内径 1.8 厘米</u>

　　枪管铁质，前圆，后四棱，整体鋄金西洋
花卉纹，带准星、望山。下附搠杖一根，枪床
为乌拉松木，床下加木叉，叉尖饰角。火机与
扳机镀金，枪体以一道皮箍加固。

　　附皮签，墨书满、汉文"高宗纯皇帝御
用荷兰（残）乾隆八年恭贮"。附木牌，正面
书"上用荷兰改鞘枪　长四尺二寸　重三斤八
两　鞘重二斤十二两　共重六斤三两"，背面书
"药二钱　子重六钱"。

185. 燧发小手枪

<u>清</u>

<u>长 20.5 厘米　内径 1.1 厘米</u>

　　铜枪管，可拆卸为两截。火机扳机
侧镌卷草花卉、旗和英文字母：一侧为
"I-PRATT"；另一侧为"LONDON"。枪柄
木质，嵌银丝卷草花卉纹。枪托底部包嵌铜叶，
雕刻一老者头像。

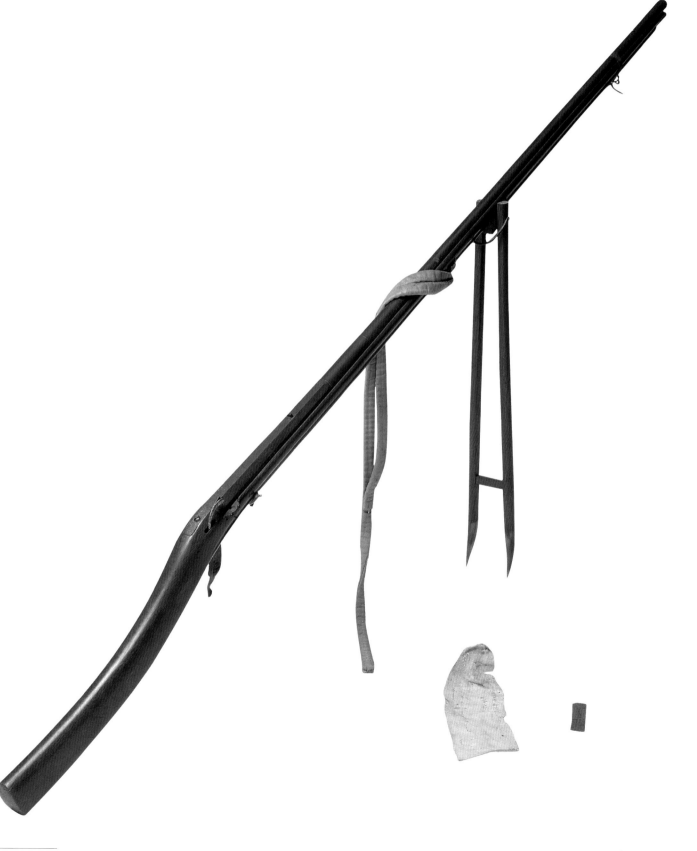

186. 西洋风枪

清

长 123 厘米　内径 1.2 厘米

枪管铁质，带准星、望山，下附搠杖一根。枪管、枪身能拆装组合，在枪管尾部及枪床、枪托处錽金或银饰纹，有錾花叶卷草、太阳纹，并嵌钻石。火机银叶处錾英文字母"GUAJ"。

附黄纸签"西洋风枪一件　漏气使不得"。

枪不用时可拆卸放在长方形红木匣内。木匣内备有铜镀金充气球、气筒、制造铅弹的钳子、铜镀金圆盒等零附件。

187. 西洋两截风枪

清

长 95.5 厘米　内径 0.8 厘米

　　枪管铜镀金，分为两截。使用时，可以只作火枪使用，也可以将铜圆枪管套固在火枪枪管上作气枪用。枪管带准星，下附捌杖两根。在枪管尾部及枪床、枪托处鋄金或银饰纹、錾花卷草、旗号斧等。枪脊錾英文："H·W-MORTIMER-LONDON GUNMAKER To-His-MAJESTY。"

　　枪可拆卸放在长方形红木匣内。木匣内备有铜镀金充气球、气筒、制造铅弹的钳子、铜镀金圆盒等零附件。

188. 步枪

清

长 159 厘米　内径 1.2 厘米

　　枪管铁质，带准星、标尺、刺刀，刺刀
装卸自如。

　　步枪本身属近代击发枪的一种，为清末
袁世凯新军配用的武器。

189. 马枪

清

长 100 厘米　内径 1 厘米

　　枪管铁质，带准星、标尺，錾"1876"字样。

　　枪身较同时期步枪短，主要用于骑兵作
战。马枪本身属击发枪，其子弹与现今的子
弹相同，为清末袁世凯新军配用的武器。

火炮

明代是火炮发展的兴旺时期，洪武初年制造的铜铁火铳，威力已很可观。《明会典》所记弘治以前军器局、兵仗局造大将军、二将军、夺门将军、碗口炮、旋风炮等十余种火炮，在战场发挥了较大的作用。

虽然是中国最早发明了火药和火药武器，但由于诸多方面原因，火器技术及其向更先进方向发展制造较为缓慢，当它在 13 至 14 世纪先后传入阿拉伯和欧洲国家后，却得到了迅猛发展，到 16 世纪初叶（明正德年间，1506 年 ~ 1521 年）以后，葡萄牙制火铳（即佛朗机炮）率先反传回中国，继而荷兰造的红夷大炮（讹称"红衣大炮"）再入华土，对中国的火炮发展产生了巨大影响，受到了统治者的重视，各地竞相仿制，并进行深入的研究、改进和批量生产，涌现出以徐光启、赵士桢、焦玉、戚继光等为首的一大批火器专家和学者，中国军火工业出现了空前的繁荣。仅嘉靖年间（1522 年 ~ 1566 年）就有 50 多种火炮服役，而且大多还配有瞄准装置，大大丰富了古代火炮的品种，提高了火炮的技术性能，这之后中国原有铳炮基本上不再生产。

清代火炮的发展

清代火炮大致沿袭明制，其发展可分为三个时期：一为草创时期，具体还可分两个阶段，即使用前代火炮和仿制火炮两个阶段。草创时期的时间是天命——顺治年间（1616 年～ 1661 年）；二为发展时期（1662 年～ 1795 年），康熙一朝无论是造炮规模、数量、种类，还是火炮的性能和制作工艺等方面都达到了顶峰。雍正、乾隆两朝墨守陈规，建树不大；三为衰落时期（1795 年以后），嘉庆、道光朝以后，军火工业一度有所发展，但在此后开始由停滞不前趋于衰落倒退。

一、草创时期

后金军队是与明军交战过程中开始使用火炮的。努尔哈赤在率军征明时，曾遭遇强大火力的阻击，此后他开始注意使用火炮，除用缴获的大批枪炮弹药武装军队外，还命令归顺的汉军官兵"准备"一定数量的火炮，以加强攻坚力量。天命七年（1622 年）规定：管四千人的汉官准备大炮十门，长炮八门；管三千人的准备大炮八门，长炮五十四门；管二千人的准备大炮五门，长炮四十门。（《满文老档·太祖》卷 32）

皇太极嗣位后，据说因其父努尔哈赤攻宁远时被红夷炮打伤而死，便力图依靠自己的力量制造火炮，配备军伍。后金天聪五年（1631 年）起设立专门机构，委派官吏，任

用汉人工匠仿制火炮，并照样在炮身上铸刻督造官、监造官以及铸匠、铁匠等官员、匠役的姓名，以便查明职责。炮上的铭文也反映了一些当时制造火炮的组织机构和承造者的有关情况。

崇德年间，为准备更大规模的进攻，皇太极在锦州设置炮厂，先后铸造了几批红衣大炮，并明确规定每门火炮的自重、火药的多少和炮弹的重量，较为注重火炮、火药、炮弹三者之间的比配关系。顺治初年。在北京开设八旗炮厂和火药厂，由兵部、工部及造办处负责，仍然是仿制明代的红衣大炮。

清军与明军作战，其中一人特别值得提及，这就是被《清史稿》立有传记的佟养性。佟养性，辽东人，先世满族，后入明朝边境为商。努尔哈赤日益昌盛，遂归顺，因熟悉汉情又深谙火器，太祖妻以宗女，号"施吾理额驸"（即女婿）。从此官运亨通，由副将升至总兵，总理火炮重任和归顺汉人军民的一切事务。清太宗皇太极时，更得其重视和喜爱，大凌河之役，破敌全胜，皇太极"以大理河所获大小火炮三千五百位，命总兵官额驸佟养性管理"。天聪六年（1632 年）佟养性上疏扩军，皇太极采纳其议，不久亲自检阅佟养性率军演练火炮，十分满意，特设宴嘉奖，赏赐白金一百两和雕鞍良马等物品，甚至公开声明"尔众官不得违其节制"，如果有豪强势力嫉妒而不从命者，"藐视养性，是轻国体而玩法令也"（《大清太宗文皇帝实录》卷 10）。最高统治者把不服从佟养性的指挥、领导提高到

轻视"国体"和不尊重"法令"的高度，可见佟养性的重要地位和清廷对火炮的重视程度。

二、发展时期

康熙朝是清代火炮生产大发展时期，当时社会经济日渐繁荣，科学技术水准相应有所提高。

康熙时期火器制造还注意吸收外来的先进技术和经验，对有技艺专长的外国人士给予重用。

康熙朝设立了三个造炮地点，一处是设于紫禁城内的养心殿造办处，另一处设于景山，两处所铸之炮均称"御制"，主要供京城和八旗兵用；还有一处设于铁匠营（地名今存，位于北京市丰台区境内），其所制造铁炮供绿营兵用。养心殿造办处是清代最重要的中央造炮场所，较重要的炮位，由皇帝亲自指定官员前往监造，一般的则由工部委派。每年造多少炮根据情况而定，并无常制，火炮造好以后，"钦命"官员检验合格后再发给各地营伍。临近各省多余、残废之炮，按规定一律解送京师，交工部处理，或整修、改造他炮继续使用，或销毁重铸；路途险远的省份，铜铁炮可留本地收储。地方确需造炮的，要由总督、巡抚联名奏请，还需将工料银等一并报工部审核，待皇帝批准后，方可铸造。

康熙时期，火炮产量最多，质量最好，而且不像以前的火炮那样笨重，有统一的标准和要求。从康熙十四年至六十年（1675年～1721年）的四十余年间，有明文记载的各种火炮近千门之多。清代火炮生产在17世纪末叶开始趋于自产化、制式化，并明显地向"轻利便涉"的方向发展。

雍正、乾隆时期火炮的制造量很大，京师各口、东北地区以及青海、甘肃等边塞要地，对已经破旧残损的炮位曾进行了大规模的更换。

三、衰落时期

清代火炮制造从嘉庆朝起开始走下坡路。颙琰继位后，政治、经济、军事上并无建树，火炮制造反而愈渐衰落。所谓衰落，一是同以前对照，一是和世界相比，也就是说从纵向来看，比前朝落后，更主要是横向比较，大大落伍于世界先进行列。

嘉庆四年（1799年）曾改造一百六十门前朝"神枢"炮，改后美其名曰"得胜"。但经试放，结果很不理想，甚至出现了"以少易多"。所谓"以少易多"，是指射程而言，本来前朝神枢火炮配足火药射程也只及百步（旧时丈量土地单位，一步等于五尺），但经过改造后的得胜炮，射程还不到百步。

道光二十一年（1841年），时值鸦片战争炽烈进行之际，中国军火工业面临紧要关头，改革或守旧关系着战争的胜败。可是腐败的清政府已拿不出什么高招妙计，居然搬出早先康熙帝在康熙五十七年（1718年）制定的炮样和康熙六年（1667年）宫中旧存西洋制造的两门火炮为模式，命令造办处"照样铸造"，并特意请来山东福山县知县达龄阿为指导，所铸之炮命名"神捷将军"。可是此炮经僧格林沁试放，其功能与康熙五十七年所造的威远炮一般，毫无改进。

此外，清政府还认为把每门火炮加重加大，既可加强效能，又可壮士卒胆略，于是一味地发展重型火炮。道光年间中央制造的火炮几乎全在千斤以上，其中两千斤以下者，赐名"振武将军"，三千斤至八千斤者，封为"巩定将军"。道光皇帝认为："炮位重至八千斤，如果火药力足，施放有准，尽可摧坚致远。若重至万斤，转恐体质笨滞，运用不灵。该督请铸万斤铜炮四尊，八千斤铜炮四尊，现在万斤铜炮如已铸成，即着择要安设。如尚未铸就，即着改铸八千斤炮，较为便捷。"（《清实录》卷353）咸丰时期的重炮更是加重到九千斤、一万斤，甚至一万二千斤，还振振有词地"钦定"为"威武制胜大将军"。

中国所制的火炮由于质量低劣，如果在装放时稍有疏忽，炸膛伤人现象就会经常出现。一遇刮风下雨，就更难使用。

在清代火器发展的衰落时期，地方亦多有造炮。当时中央造炮已属无力，各省承造之炮则更为逊色。但有一事需要提及，那就是龚振麟的"铁模铸炮法"。

我国造炮历来用土模铸制，其弊端有二：一是土模需要近一个月时间才能干透，如遇阴雨霜雪，还要耽搁更长时间；二是铸一炮后土模即毁，很不经济。道光时期，浙江嘉兴县县丞龚振麟经参阅书籍和刻苦钻研，在传统的金属铸造技术的基础上加以创新、发展，终于始创铁模铸炮法。经过试验，果然效果良好，"一工收数百工之利，一炮省数十倍之赀，且旋铸旋出，不延时日，无瑕无疵，自然光滑，事半功倍，利用无穷"（清魏源《海国图志》卷86）。清晚期能有这样的创举，是件很了不起的事，这一发明创新，在我国军事工业科学技术史和冶金史上，都是应该大书特书的辉煌篇章。

清代火炮的种类、结构和性能

清代火炮的种类，《清文献通考》中把火炮按重量区分为轻、重两级。如按近代火炮的一般分类法，可分为加农炮和臼炮，即平射炮和曲射炮两种。身管较长（一般在2米以上）的火炮可列入加农炮类；身管短粗的大口径（一般在200毫米以上的）火炮可列入臼炮类。为更清晰起见，这里把清代火炮按其结构和装填弹药方式，大致分成两种类型：一为前装式，即火药和球形弹丸由炮口直接装入的火炮；二为后装式，由一门母炮和若干子炮（即雏形长体炮弹）组成，这种火炮的子炮从母炮腹后部装入。

前装、后装两类火炮均系火绳点火，发射铅丸和铁弹，身管内无膛线，全部为滑膛火炮。炮体一般用铜或铁铸就，外镶加强箍数道，以增抗压力。中部稍后两旁置耳轴，用以支撑、平衡炮体和调整俯仰角度，增大火炮杀伤范围及火力机动性。前有准星（亦称"照星"），其中部或尾部安照门（俗称"缺口"）。清文献上常将两者省称为"星、斗"，是射击瞄准、提高命中率的重要装置。火门（装填烘药和点火用的小孔）开在炮膛底部，靠前易炸膛，靠后则燃速慢。大多炮位还配有相应的炮车、炮架、下施轮，但有些火炮则只以炮车等作为承载运行的工具，在现场演放或实战中，则弃之不用。

一、前装式炮

（一）神威大将军炮

这是目前所能看到的最早的清代火炮，现藏于国家博物馆，制造于清崇德八年（1643年），铜镶铁心，炮身后部阴刻满、汉文"大清崇德八年十二月日造重三千九百斤"。准星、照门已不存，但前后尚留长方浅槽，以备临时安放。火门多有损坏之处。铜铁合一的火炮，在我国历史上是不常见的。从此炮的制作来看，说明清初造炮已有较高的冶金技术和工艺水平，一开始起点就很高。据记载，这门炮是由汉军官兵和工匠在锦州铸造。

（二）神威无敌大将军炮

1975年在齐齐哈尔出土。康熙十五年（1676年）制造，铸铜，炮身铭文："神威无敌大将军，大清康熙十五年三月二日造。"装有瞄准具，火门长方形，近中部双耳，尾底球冠。膛内尚遗一实心铁弹。这种炮于康熙初年在北京一次就制造了五十二门，大都部署在盛京（今沈阳）等要镇。康熙二十四年（1685年），此炮在雅克萨战役中施用，狠狠打击了俄国侵略者的嚣张气焰，捍卫了祖国的领土。大战后一些神威无敌大将军炮分存黑龙江和齐齐哈尔，并在当地建立炮库，专门尊藏立功之炮。

（三）四环铁炮

此炮为清代早期制品，前口外壁呈喇叭状，以防止弹丸飞出的瞬间冲坏口边。通体无装饰，前后各有两铁环，以便搬动和运输。此炮工艺粗糙，多有锈蚀，但它坚固耐用，为攻坚利炮之一。

上述三种火炮是比较经典型的红衣大炮，射程远，威力大，身管较长，约为口径的二十至四十倍，这使得火药能在膛内得以充分燃烧，大大提高了能量利用率。炮身管壁厚度从前口向后尾逐渐加大，比例合理，基本符合火药燃烧时所产生的压力分布规律。

（四）木镶铜铁心炮

康熙年造，名曰"神功将军"，炮身木质包裹并髹漆，故俗名"漆炮"。炮置三轮平板车上，后立螺旋铁柄，用以调整、固定俯仰角度。此炮使用价值并不高，它的壁虽较厚，但却是木质的，体态又与一般大炮等同，抗压力则远不如纯铜、铁火炮。

（五）威远将军铜炮

康熙五十七年（1718年）制造。火门方形，盖缺。铭文中提及的匠役李文德的生平虽已不可考，但他的名字在现存火炮实物上却屡屡出现。李文德是康熙时期火炮的主要制造者和优秀工匠，虽名列最后，其功绩则远在总管、总监之上。这种铜炮，小巧灵便，适用于山野、涉险作战。

（六）龚振麟铁炮

首都博物馆原藏一门造型比较特殊的铁炮，为清晚期著名科学家龚振麟研制成功的铁模铸炮新法之作。道光二十二年（1842 年）制造，火门长方隆起，身管锥度大，炮口收拢，内陷一台。口边、照门、尾球冠均残损，耳轴毁缺。此炮之今状，为鸦片战争时期侵略者罪恶行径的历史写照和罪证。庆幸的是炮身铭文内容大多清晰可辨："大清道光二十二年岁次壬寅仲春吉日，浙江嘉兴县县丞龚振麟，两浙玉泉场大使刘景雯监造，试放，□（残）□。"

（七）威远将军铜炮（另一尊）

此炮虽与上述"威远将军铜炮"同名，但不同制。这类短身管、大口径（身长为口径尺寸的两、三倍）的火炮，弹道弯曲，是以曲射火力杀伤对方，作用与近代迫击炮有些相似。通常载于四轮炮车，上装炮尺（即高低瞄准具），发射同于口径大小的爆炸弹。当射角在 45 度时，射程最远，可达二三里以上。

此威远将军炮除炮架和纹饰部分外基本是按照模型于康熙二十九年（1690 年）成造。使用时，先在小膛内填满火药，间以木，加土寸许。然后把炮弹放进大膛，弹外仍用火药填实，再加少量潮土，防止火星溅入。发炮时，先点燃炮弹的引线，后速燃火门药。这种炮的最大优点在于它能发射可爆炸的炮弹，可惜在当时未能很好利用，也没有得到进一步的改进和发展，以至后来逐渐销声匿迹。

（八）信炮

有清一代多有制造。炮身上下一致而无收分。底部呈"梯"形，只装火药，置地向天发射。在阅兵仪式、操演训练及阻击、进攻战中，均以发射信炮为集合进军号令。在京城"大内紧急"时鸣之。顺治十年（1653 年）在白塔山（今北海琼岛）上特设"信炮处"，正阳、崇文、宣武等内九门各常备信炮五门。这一作法沿至清末未变。

二、后装式炮

前装式炮的主要缺点在于发炮费时费力，往往贻误战机，而且火力有间隙，给对方以可乘之机。后装式炮则多少弥补了这一不足，在当时情况下，较好地解决了再次装填的困难，从而赢得了时间和战争的主动权。一弹发出，立即再装一弹，"递发之相续而速"，故也可称之为初级速射炮。

（一）子母炮

康熙年间制造，铸铁为之，后腹开口"以纳子炮"，底如覆笠或覆铃。每门母炮按规定需常备子炮五枚，发射时点着子炮，弹丸从母炮内飞出。这种炮还专门备有驮在马背上的炮鞍，上系皮条，利于行军涉险。在清代，有的地方称此炮为"佛朗机炮"。

（二）木把子母炮

这种炮是火绳枪的扩大，所以有时也叫作"鸟枪炮"，又因它的重量介乎枪、炮之间，仅两名炮手就可以抬动行走，故此炮俗名"二人抬"。

木把子·母炮身管细长，木柄上开槽施火机，翘端夹一火绳。发炮时用手握柄，以食指扣动扳机，火绳向下，接触子·炮火门，达到发射目的。此炮于雍正五年（1727 年）制造，无加强箍。

（三）奇炮

《清会典图》载：

奇炮，铸铁，后通底，旁加牡钥，重三十斤，长五尺五寸六分……不锲花文。近口为照星，中加斗。素铁火机，旁为双耳，子炮四如管连火门。受药自九钱至一两，铁子二两六钱。后加木柄……下为屈成开柄以内子炮，从牡钥中固以铁钮……柄末缀立瓜，青缎为之。载以铁盘、铁鏊承炮耳。下以三木搘之，末铁鐏。

从图形和文字来看，奇炮肯定属于子·母炮系列，"开柄"类似如今的普通猎枪。"立瓜"便于向下开柄，待装"子"合柄后控制火炮的角度和方向。火机置于木柄前部，系绳索向后拉动，推促火机点火。此炮为清代所独创，康熙二十四年（1685 年）制造。

奇炮与子·母炮相比有许多独到之处：首"奇"在于装填方式上，不是从母炮开腹纳入，而是从膛底直接送进；次"奇"在后柄活动机关上；三"奇"在发火装置上。这些都比子·母炮先进、灵活、轻便，所以称之为"奇"。由于炮的形制变化，重量减轻，更加有利于炮兵携带作战。

清代的大多数火炮，都附有相应的辅助器械，尤其是后装式炮之属，辅助器械更多一些。《钦定军器则例》中记述了每门后装式炮的什件：炮子·档、朝天镫（仰瓦形铁杵、承火炮耳轴）、提钩（用于子炮的进、退膛）、炮架、穿钉、炮星（有时炮的照星是临时安装的）、炮刷、火药葫芦、烘药葫芦、春火药棍、锥针或门针（用以通火门）、门盖、火绳、拧子、刮子锤、铁锉、木锉、钳子、木榔头、木铣子以及炮衣、炮罩、龙油袱、素油袱、支杆等等。这些附件主要是安排、稳定炮位，盛放、装填炮弹，包装、施放火药和苫盖以及保养大炮时使用。

上述后装式炮，属于佛朗机炮系统。清代制作的后装式炮，又形成自己的特色，从身管外形来看，已经不再是到前部突然收缩成细管状，而是同炮膛一样，从尾底到炮口逐渐有一定比分地形成圆锥体。后装式炮，尽管威力有限（因所装的火药量毕竟较少），但它具备了近代火炮的许多优点，在有清一代的历次战争中使用的时间最久、范围最广。

火药、炮弹及炮兵部队

火炮的发射需要火药和炮弹，而火药尤为关键，弄清火药的问题，对进一步探讨、研究清代火炮的性能、威力等情况，至关重要。

一、火药

清代用于军事的火药包括军需火药和演放火药（又称常操火炮，寻常火药），两种火药均要配备一定数量的烘药（又称催药、引药，为速燃引爆之用）。每百斤火药一般需要烘药一斤。潮湿的南方省份规定要准备三年的军需火药，干燥的北方地区则要存贮五年的需要量。火药易受潮，所以凡是存放超过十年以上的军需火药一律改作操演训练之用。

统治者对火药的控制很严，火药厂及仓库均派有重兵把守，不许外人接近，若有违反，守备官员都要治罪。对火药的主要成分硫磺，从开采到制造，律例森严，手续繁琐，既不许私造、私贩和出口，也不能进口和倒卖，至乾隆时期才取消了禁止进口硫磺的定例。

顺治初年，工部专门在北京设立濯灵厂（后又设荡氛厂）生产火药，年产量约在五十万斤以上。濯灵厂内装有石碾子二百盘，每盘一次可置药三十斤。军需火药与演放火药的主要区别在于碾磨时间的长短和次数的多寡：碾一日一次者专供演习之用；磨三天三次者为实战用军需火药。嘉庆时期曾一度改石碾为石臼，成品以捣三万杵为度。

制造火药的方法和步骤，大致是先期将硝、硫、炭分别制好，然后按比例配比合成，或碾磨或捶捣，经过数十道工序，最后精心筛选，成品呈粉末颗粒状。道光时期强调提炼硝磺宜于春秋，而造药必在夏初，取其昼长功倍，晒晾得力。上等火药的标准是"燃之掌中不伤手，乃为尽善"，还要求燃速快，燃烧时间短，无残渣。明代除北京之外，全国大部分地区建有专门制造和存贮火药的机构——火药局。清初曾陆续关闭了一些地区的火药局，造药全部集中在京师和内地几省。随着炮兵队伍和炮位数量的逐渐增多，火药供不应求的现象经常发生，故从乾隆时期起招商开采硫磺，并恢复了火药局的生产。清代，每斤火药的工料银两，总的来看是呈下降的趋势。

火药威力的大小，主要取决于硝、硫、炭的合成比例是否合理。乾隆时期的火药含硝量较高，而炭所占的比分却很低。烘药内炭的比分低，远不如明代的配比合适，其威力也必然受影响。嘉庆朝火药成分的配比基本上达到明初的水平。道光初年才与明代中期的火药配方相差无几。当时，西方发达国家的火药配方大致也是如此，但由于他们制造火炮的技术先进，火药威力得以充分发挥，而中国则不然。

二、炮弹

清代火炮的炮弹，可分为实心铅弹丸、实心铁弹丸和空心爆炸弹三种，从形体上看又可分球形和长体两种。铅、铁弹丸一般可以混用。大口径火炮需用铁弹，因为铅弹较铁弹软，磕碰、挤压后弹丸表面会出现凹凸不平，打放时常常需缠裹棉布，密封炮膛，才可以保证有效射程。又因为铅弹的造价高，很不经济，所以后来就弃之不用。炮弹无论大小，直径尺寸须合炮膛口径，不宜过大或过小，大则药力闭塞，出现阻滞，小则药力泄漏，弹发无力。

炮弹的制造，主要由工部在京办理，然后再拨给各省，有时也改由地方就近制造。乾隆末年重新规定：盛京等处所需铅弹，毋庸在本处铸造，每届用完时，造册报表，由工部照办，发交委派进京大员领回备用，其他地方也是如此。

为了节省开支，在演习训练时使用过的实心炮弹，都要拣回，然后再按一定比额报销损耗，这在康、雍、乾三朝均有定制。腐败懒散的八旗官吏、士卒为图省事，常放空炮"虚应故事"，以免去拣拾炮弹的苦累。事实还不只如此，更为严重的是"反滋侵蚀之弊"，贪官污吏经常谎报数字，冒领核销银两以中饱私囊。

故宫博物院现存清代球形炮弹，全部是空心爆炸弹，准确地说应该叫做未装火药的铸铁弹壳。弹面中留一孔，约 2 至 4 厘米，大者旁出火门，高 2 厘米左右，便于穿插引线，另置铁耳环，以利提携，小者只有一孔穴。

炮弹由实心弹发展到空心爆炸弹，是一次重大的变革。前者宜于攻坚，穿透力强，后者则杀伤范围广。尽管爆炸弹有不足之处，但若与实心弹并存，显然会更有益于"行阵变化"。

长体炮弹，即包括弹壳、火药和弹头三部分的炮弹。子母炮之"子炮"，即为初步具备长体炮弹形态的炮弹。诚然，子炮本身可以单独施放，但它的后座力无法控制，射程也显然不会远，这样就失去了"炮"的意义，因而以之作为炮弹更恰如其分。

三、炮兵部队及其训练

（一）组织的建立和装备

努尔哈赤时期，最初使用缴获的明军火炮，炮兵成员主要是"汉军"。汉军初名"乌津超哈"，满语意为"重兵"或"重军"。皇太极时，红衣大炮造成，此时已有了专职的炮兵营伍。

康熙十二年（1673 年）上谕："汉军不能骑马者甚多，每旗应设一营操练火器。"从此便严格规定：八旗汉军每旗必设一支火器部队，隶属各旗之内。康熙二十七年（1688年）增设"火器兼练大刀营衙门"。康熙三十年（1691 年）挑选八旗中熟悉枪、炮的士卒别立为营，名唤"火器营"，隶属中央直接领导。

各地配置火炮的情况不尽相同，一般按 1000 名甲兵装备 10 门火炮的定限，所配置的大多为子母炮和平射威远炮。清代国防关隘重地主要有两处，初期为东北，中晚期为东南沿海。另外，首都北京所布防的炮兵和炮位之多，更远远超过各省重镇和边塞。京城内外 16 座城门，据《金吾事例》的记载统计安设各种铜、铁大炮凡 15 种，总计1911 门。嘉庆二十一年（1816 年）修定《军器则例》，对全国各地炮兵装备的更换、修理期限作了详细的规定。

（二）炮兵在清前期战争中的作用

清代初期的炮兵，阵容强大，在几次关键的国内战争中发挥了巨大的作用。清军装备自制火炮以后的首次大捷是"大凌河之战"。皇太极集中了 60 门红衣大炮，以炮兵部队为首猛攻子章台，一举取胜。

康熙三十五年（1696年），为平息准噶尔部噶尔丹发动的叛乱，康熙皇帝亲率三路大军征讨。当时出征的满洲炮兵、汉军炮兵、火器营炮兵依次进发。其中满洲八旗每旗马驮子母炮各5门，汉军八旗每旗马驮子母炮各9门、龙炮各1门，左右两翼八旗各携冲天炮（即威远将军炮）1门。另外调有大同府、宣化府两府炮队携神威炮48门，分赴两路和中路大军增援。

出动如此众多的炮兵部队，皆因噶尔丹营伍拥有火器重兵，非弓矢刀矛所能克敌制胜。这是入清以来，清政府第一次大规模地动用配置各种火炮的炮兵部队。

总之，清代初、中期的炮兵，在一系列战争中的作用是不容低估的，为清王朝的巩固、祖国的统一和领土的完整作出突出了贡献。另外，由于火炮数量、种类的增多和火炮性能的改进，中国古代军队在编制、装备、列阵、强攻、固防以及使用火器与冷兵器的协同作战等方面较之元明时代的军队和作战有了突飞猛进的发展。

（三）训练情况

清代炮兵的正规训练，主要有大阅之典、常操、分操、合操等项。

阅兵大典，早在天聪七年（1634年）就已开始。定鼎北京以后，顺治时确立大阅典礼"三年一次，永着为例"。康熙二十四年（1685年）大阅于王家岭麓，东列排炮，西摆红衣巨炮，演习伊始，炮声四起，络绎不绝，所击树候（即靶牌）栏墙应声而倒。

从顺治到乾隆朝，京师八旗炮兵、火器营炮兵每年春秋常操、合操及"越三年演炮"训练于芦沟桥，这些训练活动经历了若干次变动，至乾隆四十年（1775年）"越三年演炮"取消，原因是常与大阅之典相冲突。

训练成绩的好坏，由军机大臣同兵部官员负责检验。按规定，演练期间每天每炮只准打3发实弹，每旗出10门炮者只有30发的定额。演放时以中二三百步外的靶牌27发者为及格。及格者、炮营参领记成绩一次，炮手每人可得赏银一两。如果只打中26发或25发，炮营参领记过一次，炮手责打40军棍。中24发以下者，炮营参领不仅罚俸一年，还要停升一次，都统、副都统各罚俸6个月，炮手则要挨80军棍，甚至被发往边疆效力。

清代初期的炮兵不可谓不强盛，训练亦不可谓不勤勉，但并无求新、改进和发展，长期遵循旧制，势必造成后来被动挨打的局面。

南怀仁与火炮

南怀仁（1623年~1688年），顺治年间随意大利传教士卫匡国东渡来华，康熙年间被清廷起用，掌钦天监监务。后以制造炮位精坚，晋工部右侍郎，病逝后康熙皇帝亲自为他撰写了祭文和碑文，赐谥号"勤敏"，并派国舅佟国纲等大臣至墓地为他举行隆重的葬礼。南怀仁是四百年来万余传教士中唯一身后享有谥号的传教士，他之所以能够获得这样高的荣誉，应该说与他在康熙朝铸造火炮的历史功绩是分不开的。

一、南怀仁造炮的历史背景

康熙十二年（1673 年）十一月，三藩之乱爆发，康熙皇帝决定武力平叛。但综观全局，各个战场上清政府的军队仅能与顽敌对峙，却难以进取。究其原因，主要是由于这几支叛军原为清军中最精锐的部队，实力极强。加之叛军又盘踞在山水纵横、交通不便的湖广、江西等地，易守难攻。

面对这一局面，康熙皇帝意识到必须重视武器装备的制造与改良，特别需要"多制轻便火炮，俾越山渡水以利行军之用"。于是，康熙十三年上谕兵部："大军进剿须利用火器，着治理历法南怀仁铸造大炮，轻利以便涉。"（《清朝文献通考》卷 194）

二、南怀仁的造炮成就

（一）康熙朝中央所造火炮半数以上与南怀仁有关

康熙十四年五月二十四日康熙皇帝亲往芦沟桥炮场验南怀仁所造炮，并称赞"南怀仁制造木炮甚佳"。

十一月，陕西提督王辅臣反叛，急需用红衣炮，南怀仁和工匠们一起用很短的时间便制成 20 门。

康熙十六年，康熙帝将南怀仁所造红衣大炮发往进兵

湖南的安亲王军中。康熙十八年年初，清军收复岳州，湖南大局已定。

康熙二十年（1681 年）八月十一日，南怀仁督造的 240 门"神威将军炮"告成。康熙皇帝率领亲王及内大臣等往芦沟桥炮场观看于十月十九日举行的演习，演习十分成功，康熙帝特赐南怀仁裘袍衣以示鼓励。

康熙二十八年，南怀仁以"制法官"身份铸造"武成永固大将军炮" 61 门、"神功将军炮" 80 门。

依据《熙朝定案》和《清朝文献通考·兵十六》的材料统计，南怀仁造炮数为 513 门。再结合徐日升、安多合著的《南先生行述》中的材料，南怀仁造炮共计 566 门。

（二）三种火炮的设计被选入《钦定大清会典》

《钦定大清会典》里所列火炮中有三种为南怀仁设计：

其一是"神威将军炮"，故宫博物院藏有一门道光年间铸造的神威将军铜炮，该炮铭文中所示火炮有关资料与《大清会典》记载的南怀仁设计的神威将军炮数据基本一致，仅"星"高出四分。观其外形也与《钦定大清会典图》中的神武将军炮一致。由此可以确认这门炮是仿制康熙朝南怀仁造的神威将军炮。

南怀仁造的神威将军炮曾"连放三四百弹也毫无损伤"，因而受到将士们的欢迎。康熙二十年雅克萨大战前夕，仅齐齐哈尔城就部署这种炮达 12 门之多。

其二是"武成永固大将军炮"，故宫博物院午门前广场曾放置有武成永固大将军炮的实物。其上铭文："大清

康熙二十八年铸造武成永固大将军，用药十斤，生铁炮子二十斤，星高六分三厘。制法官南怀仁，监造官佛保、硕思泰，作官王之臣，匠役李文德、颜四。"

武成永固大将军炮堪称中国古代威力最大、性能最好的火炮。它装填火药量大，身管较长且炮体身长由粗到细和壁厚比例合理，射程远，球形爆炸弹丸具有较大的杀伤力，且膛壁光滑，闭气性良好。为解决炮身重大、人力不易调整俯仰角度的困难，在炮车后部装有绞杠，升降自如。另外，为增强运动中的坚固性，炮车装有各十八辐的铁轮，这与近现代的炮车已十分相似了，其绞杠和铁轮的配置在中国古代所有火炮装置上都是极为少见的。

第三种火炮是"神功将军炮"，《大清会典》记载："前弇后微丰，底如覆笠。重千斤，长七尺。不镂花纹，隆起五道，近口为照星，中镌大清康熙二十八年铸造神功将军，用药一斤十二两，生铁炮子三斤八两，星高四分，制法官南怀仁，监造官佛保、硕思泰，作官王之臣，匠役李文德、颜四、汉文。载以三轮车，铁索承炮，辕长一丈二寸。辕间板轮一，不施辐，余俱如神威无敌大将军炮车之制。"

上述三种火炮的形制各不相同，但均属前装式滑膛火炮。

南怀仁设计制造的火炮实物，迄今为止，目前在国内只发现"武成永固大将军"一门，仅剩的这一门南怀仁火炮也是1949年以后从原德国驻华大使馆运出来的。

（三）有关清代火炮的重要内容专著——《神威图说》

康熙二十一年（1682年）正月二十七日，南怀仁进呈《神威图说》一书。据他在《熙朝定案》里介绍，这是一部阐明准炮之法的书籍。

康熙二十二年南怀仁在其所著《形性之理推》一书中详述了如何利用"正对星斗之法"来"改正炮偏向"，如何使用他所制定的"炮弹远度比例表"、"炮弹高度表"、"推重物道远近高低之仪"、"炮弹起止所行顷刻秒微之表"以及"三率法"计算公式等内容，这为我们研究南怀仁的"准炮之法"提供了难得的材料。

南怀仁的"准炮之法"包含了两方面内容：

其一是利用"正对星斗之法"改正炮的偏向，提高火炮的射击精度。

所谓"星斗相对"，指的就是"使斗星之线正对经鹄（即靶心）之垂线，而试放之，务令中鹄之心也"。由于当时铸造出来的"炮膛虽直而平，但其周墙（即膛壁）或厚薄轻重不一，假如铸炮时其左边略为重厚，其右边略为轻薄，则放炮时其弹必斜而偏向厚重之左边矣"，所以在交给士兵使用之前，必须用"正对星斗之法"来改正炮之偏向。改正的方法是在"其偏向之炮上，先安定腊成之星斗。令其窥目之视线，照腊成之星斗，于炮膛中心线平行，如正向之炮上，定星斗之法无异。次对本炮与鹄而放之，放毕即记识其炮所放之弹，偏向鹄之或左或右若干尺寸"，"而酌量揣独移挪其星，或左或右分厘若干矣"。亦可用"三率法"而推之。

其二是若要用某炮击中远处（必须在该炮最大射程内）之目标，在已知"火药之分两，炮弹之大小轻重，皆为一定不易"和该炮仰角为 45 度时"所放之弹至若干步始落地"之后，利用南怀仁所列出的"炮弹远度比例表"，通过查表及"三率法"计算，便可知道该炮 1 至 45 度或 45 至 89 度范围内"其弹至丈数几何"。在战场上，兵士只要知道目标距火炮所在位置的距离，便可确定火炮之仰角，再用南怀仁设计的一种"勾股形内造象限仪"的仪器（即炮规）调整火炮的仰角，即可命中目标。

当然，要掌握南怀仁所说的"准炮之法"，还必须熟悉其"炮弹高度表"及"炮弹起止所行顷刻秒微之表"的用法，此不赘述。

三、南怀仁在中国火器史上的地位

就数量而言，从康熙十四至六十年（1675 年～1721 年）清中央政府所制造的大小铜、铁火炮达 905 门之多，而其中半数以上是由南怀仁负责设计、监造的。就质量而言，其工艺之精湛，造型之美观，炮体之坚固，为后朝所莫及，直至鸦片战争以前均堪称佼佼者。

康熙朝中央政府所造的 905 门火炮当中，重量在 500 斤以上者仅有 201 门，在 704 门轻炮当中，又有三分之一为南怀仁亲手设计、监造。上述数字清楚地表明，南怀仁为使清代火炮适应战场的需要，为制炮技术朝着"轻利以便涉"的方向发展作出了开创性的贡献。

南怀仁对清代火炮技术发展的另一重大贡献是对火炮的"准炮之法"在前人的基础上进行了系统的研究，并写成专文，其意义和影响尤为深远。

这里还需要特别指出的是，南怀仁逝世于康熙二十七年（1688 年）十二月二十六日，而"武成永固大将军"和"神功将军"炮则造于康熙二十八年，即南怀仁病逝近一年以后。清政府仍将"制法官南怀仁"铭于炮体，以示不朽纪念。

综上所述，南怀仁不愧为中国古代火炮发展史和中西科技交流史上卓有成绩、贡献重大的著名人物。

明代火铳

准星　　箍　　　　　火门　望山　尾球

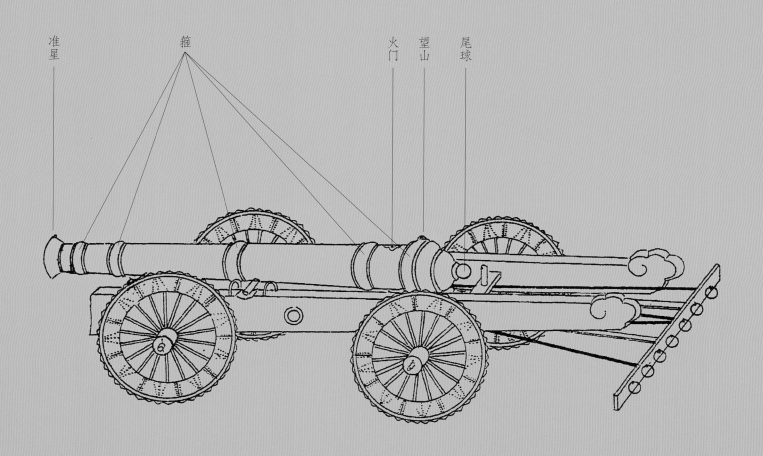

190. 铜火铳

明洪武

长 45 厘米　内径 2.1 厘米

铜质，腰鼓处正中錾火门孔，尾部呈喇叭状，用以插手柄。铳身錾刻"古安守御千户所监局镇抚李荣　军匠马舟和　计三斤八两重　洪武十二年造"。

191. 铜火铳

明永乐

长 36 厘米　内径 1.5 厘米

　　铜质，带准星、望山，錾火门孔，尾部呈喇叭状，用以插手柄。铳身錾刻"天字伍万壹佰拾伍号　永乐拾玖年玖月　日造"。

192. 铜火铳

明弘治

长 26 厘米　内径 3.6 厘米

　　铜质，腰鼓处正中錾火门孔。铳身錾刻"弘治九年八月造　神字壹百肆拾玖号"。

193. 铜火铳

<u>明万历</u>

<u>长 36.5 厘米　内径 2.4 厘米</u>

　　铜质，腰鼓处正中錾火门孔，尾部呈喇叭状。铳身錾刻"万全□□前□□□□□百户赞字一号　万历二十年□□□□"。

194. 铜火铳

<u>明天启</u>

<u>长 15.5 厘米　内径 1.5 厘米</u>

　　铜质，腰鼓处正中錾火门孔，带准星、望山。铳身錾刻"天启五年七月造"。

清代火炮的种类

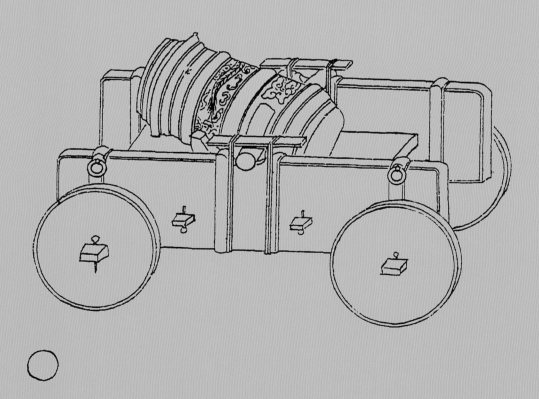

195. 威远将军炮

<u>清康熙</u>

<u>长 69 厘米　口径 21.2 厘米</u>

<u>前口壁厚 7.9 厘米　底径约 32.5 厘米</u>

<u>前膛深 37.5 厘米　药室直径 10 厘米</u>

<u>深 16 厘米</u>

　　铜质，炮身隆起四道。造型前侈后敛，铁质火门方形凸起。炮置四轮炮车上。炮身底部錾满汉文"大清康熙二十九年　景山内　御制威远将军　总管监造御前一等侍卫海清　监造官员外郎勒理　笔帖式巴格　匠役伊邦政　李文德"。

196. 威远将军炮

清康熙

长 103 厘米　内径 4.4 厘米

膛深 91 厘米

　　铜质,炮身隆起四道,有双耳、准星、望山。炮身底部錾满汉文"大清康熙五十七年　景山内　御制威远将军　总管景山炮鸟枪监造赵昌　监造官员外郎张绳祖　笔帖式张秉义　工部员外郎阿兰泰　笔帖式杨天禄　匠役李文德"。

197. 木镶铜铁心炮

清康熙

长 189 厘米　内径 9 厘米

膛深 146 厘米

前口壁厚 6.5 厘米　底径 21.5 厘米

　　管心铸铁、口箍、尾球镶铜。炮身以木包裹,糅漆。火门有盖,开在后铜箍上。炮置车上,车为三轮平板,后立螺旋铁柄。

198. 子母炮

清康熙
母炮通长 184 厘米　口径 32 厘米

　　铁质，炮身隆起五道，旁为双耳，炮面开
孔，填充子炮，以铁钮固定。每母炮配子炮数
枚，子炮为铁质，大小随母炮开孔而定。子炮
内填充火药和铁子。

199. 奇炮

清康熙
长 180 厘米　口径 2.7 厘米
内径 4.3 厘米　壁厚约 1 厘米

　　铁质，炮身加准星、望山、双耳，子炮
从母炮后填充，每门母炮带四枚子炮。

200. 木把子母炮

清雍正
母炮长 221.5 厘米　口径 26 毫米

铁质，有木托，炮身后部装望山，附双耳，炮面开孔，填充子炮。

201. 神捷将军炮

清道光
长 103 厘米　内径 4.4 厘米

铜质，炮身隆起四道，双耳。炮身后部錾刻满汉文"大清道光二十一年　遵旨恭铸神捷将军　监造总管郎中文丰　兴浚　库掌官恒　催长增年　笔帖式国祥　匠役宋有清"。

202. 四环铁炮

清

长 190 厘米　口径 8.9 厘米

前口外壁厚约 7.2 厘米　底径约 20 厘米

　　铜质，通体无装饰，有铁箍十一道，前后
各有两铁环。炮口外壁加厚呈喇叭状。

203. 信炮

清

长 71.4 厘米　口径 6 厘米

　　铁质，炮身隆起四道，军中传递信息与
军情之用。

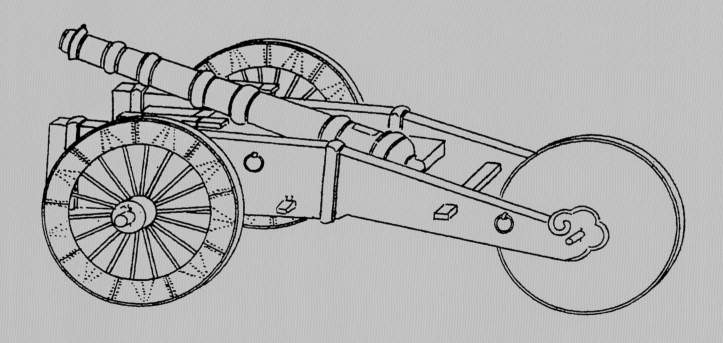

204. 蛤蜊镶铜火药袋

清

长 11 厘米

两块天然蛤蜊壳组合制成，面纹突起呈扇形，连接处用铜镀金签嵌饰，管嘴铜镀金。

205. 铜嘴蛤蜊包皮火药袋

清

长 35 厘米

两块天然蛤蜊皮组合制成，面平润滑，接连处用黑牛皮包饰，管嘴铜镀金。

206. 皮镶珐琅火药袋

清

长 18 厘米

棕黑两色牛皮制成，正面嵌饰雕刻阴阳鱼、花卉圆形珐琅图案，管嘴铜镀金，錾夔龙及花卉纹。

207. 铜胎包皮火药袋

清

长 13 厘米

外包棕色牛皮，两面饰变形的夔龙、如意云纹。

208. 木胎包皮瓶式火药袋

清

长 18 厘米

外包棕色牛皮，正背面中部嵌圆寿字，瓶耳牛角质，雕夔龙形，另一耳残。

209. 木雕葫芦式火药袋

清

<u>长 9.5 厘米</u>

扁平葫芦形，面突瓜瓞纹，"瓜瓞绵绵"
寓子孙绵长之意。

210. 彩漆桃式火药袋

清

<u>长 8 厘米</u>

火药袋木质，状若桃，面雕饰枝叶，髹漆。

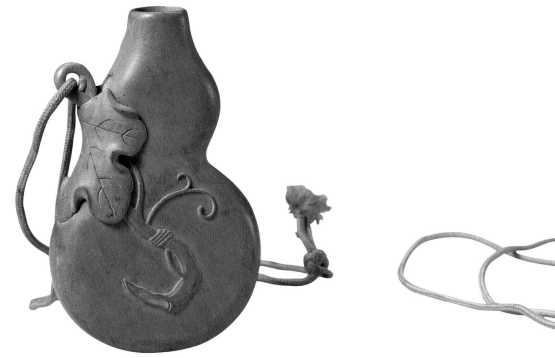

211. 竹雕瓜式火药袋

清

长 10 厘米

以竹雕刻成瓜形，面雕枝藤卷叶，雕工圆熟，纹饰清晰。

212. 牛角刻花火药袋

清

长 12.5 厘米

角质，辣椒形，面雕刻夔龙纹。

213. 牛角镶牙火药袋

清

长 16 厘米

号角形，由两块黑黄牛角拼接制成，面饰白、红、绿三色象牙和料石组成的花绘卷草纹。底托边部包嵌铜镀金蕉叶和花卉纹。系黄丝绦带处雕刻成夔龙式。

214. 牛角雕鱼式火药袋

清

长 12.5 厘米

牛角制，雕刻成鲶鱼状，惟妙惟肖，蕴涵
"年年有余"之吉祥意。

215. 牛角雕菱式火药袋

清

长 10 厘米

牛角制成，状若菱角，面纹雕刻精细，钮
以象牙装饰。

216. 炮弹

清

直径 8～23 厘米

铁质，圆形，均为空心，大小不等。

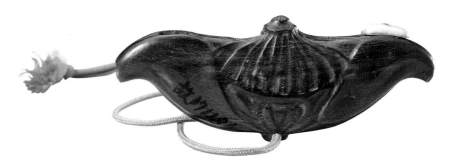

217. 神机营合操阵图（部分）

清晚期

纵 43.2 厘米　横 43 厘米

此图表现的是清代神机营操练时的场景。

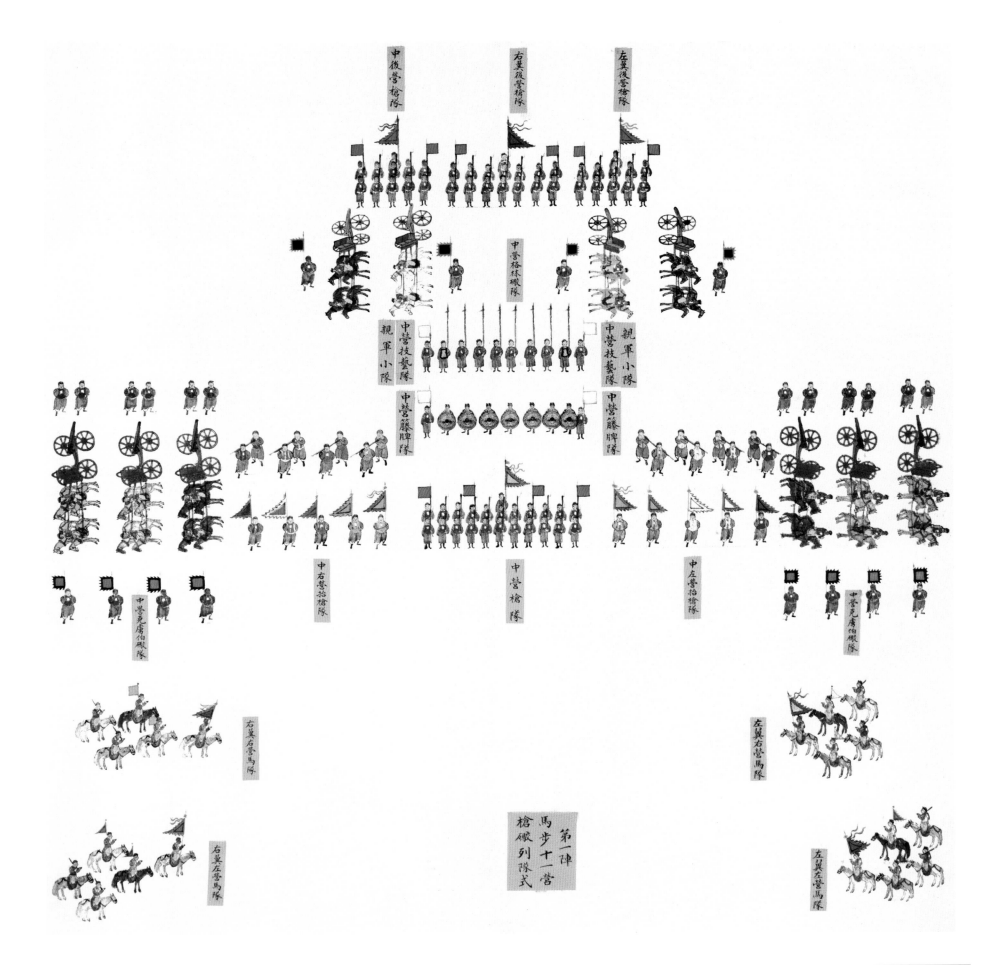

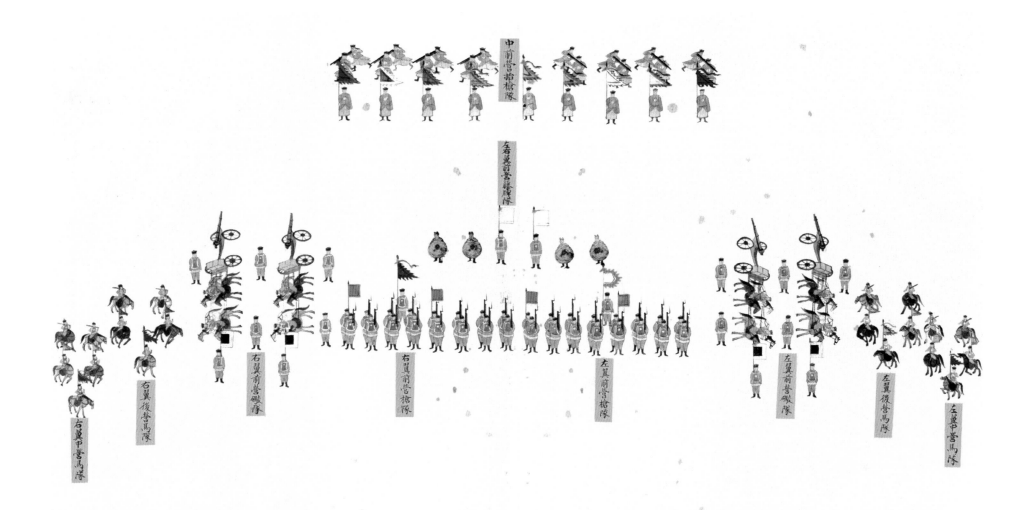

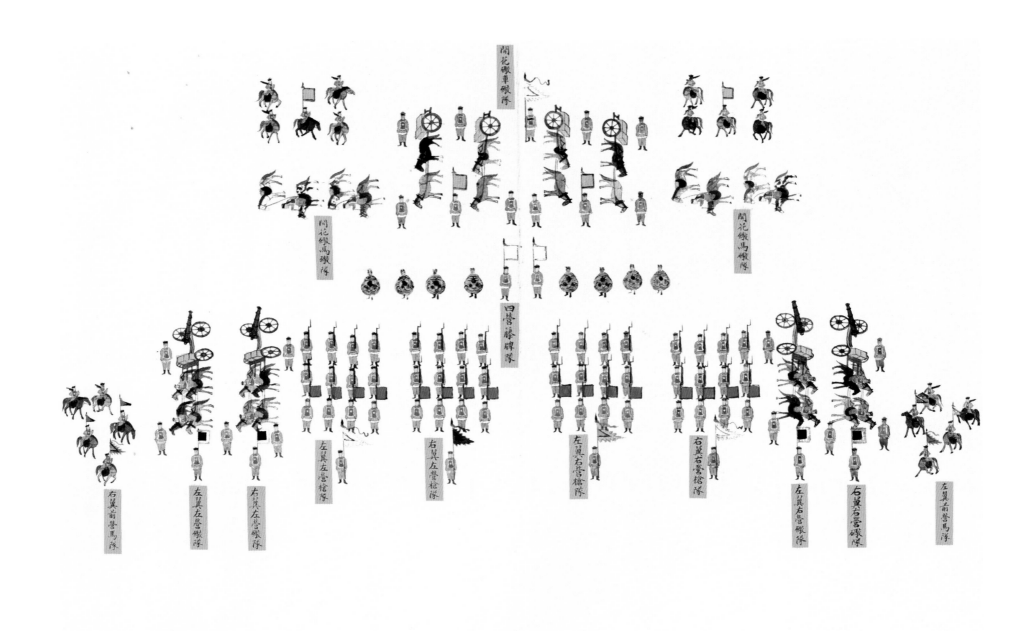

開花礮車礮隊

開花礮馬礮隊　　開花礮馬礮隊

四營籐牌隊

右翼前營馬隊　左翼左營礮隊　右翼左營礮隊　左翼左營槍隊　右翼左營槍隊　左翼右營槍隊　右翼右營槍隊　左翼右營礮隊　右翼右營礮隊　左翼前營馬隊

第一陣
馬步七營槍
礮列隊式

218. 神威将军炮

清道光

炮长 217 厘米　内径 5.2 厘米

车长 306 厘米　宽 141 厘米　高 96 厘米

　　铜质，炮身隆起五道加强箍，炮尾铭文
"大清道光二十二年制造神威将军　用药八九
两　铅丸十八两　星高一十一分　监造官六品

库掌五福　六品库掌官恒　八品催长增年　铸
匠陈来明"。

219. 道光壬寅年铜炮

清道光

长 90 厘米　内径 3 厘米

铜质，炮身铸夔龙形提梁，附准星、望
山、双耳。炮身后部錾刻汉文"道光壬寅孟
夏　龙银炮式　宝福局员徐口监造"。壬寅，道
光二十二年，即公元 1842 年。

220. 轮子炮

清

长 123 厘米　口径 4 厘米

铁质，炮管可上下调整射击角度。后部
装有望山、圆盘形弹夹，可装子炮十一发。
弹夹上铸有手柄，随转动填充子炮。发射完
毕后，可即刻更换。炮管以铁柱与三脚架相连，
三脚架可开合自如。

221. 西洋铜炮

<u>清</u>

<u>长 60 厘米　内径 8 厘米</u>

　　铜质，炮身双耳侧錾"42"，准星、望山
呈西洋花叶状，炮身后部錾"Emery"等西洋
文字与"1667"字样。

222. 铜刻花小炮

清

炮长 17.5 厘米　内径 4.5 厘米　座长 23 厘米

　　铜质，錾火门孔，尾部呈喇叭状。炮身錾
刻西洋人物图、卷草纹。炮座为长方形，两侧
为圆弧型支架，下部两圆孔与炮身相连，炮中
部前后设有两个螺栓，可调节炮口高低角度。

223. 铜镀金测炮象限仪

清乾隆

高 18.5 厘米

　　使用时置于炮上，通过游标内所穿小孔
可以测算出炮与目标的距离与角度。

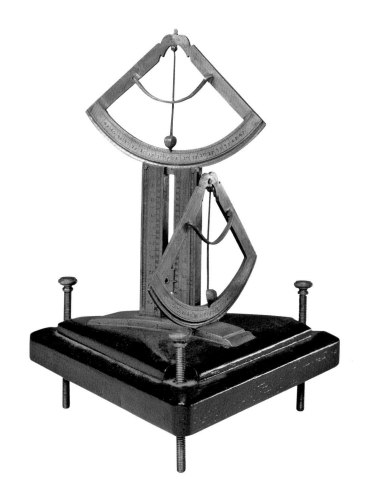

图版目录

后记

《故宫经典》是从故宫博物院数十年来行世的重要图录中，为时下俊彦、雅士修订再版的图录丛书。

故宫博物院建院八十余年，梓印书刊遍行天下，其中多有声名皎皎人皆瞩目之作，越数十年，目遇犹叹为观止，珍爱有加者大有人在；进而愿典藏于厅室，插架于书斋，观赏于案头者争先解囊，志在中鹄。

有鉴于此，为延伸博物馆典藏与展示珍贵文物的社会功能，本社选择已刊图录，如朱家溍主编《国宝》、于倬云主编《紫禁城宫殿》、王树卿等主编《清代宫廷生活》、杨新等主编《清代宫廷包装艺术》、古建部编《紫禁城宫殿建筑装饰——内檐装修图典》等，增删内容，调整篇幅，更换图片，统一开本，再次出版。唯形态已经全非，故不再蹈袭旧目，而另拟书名，既免于与前书混淆，以示尊重；亦便于赓续精华，以广传布。

故宫，泛指封建帝制时期旧日皇宫，特指为法自然，示皇威，体经载史，受天下养的明清北京宫城。经典，多属传统而备受尊崇的著作。

故宫经典，即集观赏与讲述为一身的故宫博物院宫殿建筑、典藏文物和各种经典图录，以俾化博物馆一时一地之展室陈列为广布民间之千万身纸本陈列。

一代人有一代人的认识。此番修订，选择故宫博物院重要图录出版，以延伸博物馆的社会功能，回报关爱故宫、关爱故宫博物院的天下有识之士。

2007 年 8 月